Le reste de leur vie

Jean-Paul Didierlaurent

Le reste de leur vie

Du même auteur

LE LISEUR DU 6H27, roman, *Au diable vauvert,* 2014, *Folio*
MACADAM, nouvelles, *Au diable vauvert,* 2015

ISBN : 979-10-307-0059-6

Au diable vauvert
www.audiable.com
La Laune 30600 Vauvert

Catalogue sur demande
contact@audiable.com

À Sabine, Marine et Bastien, mes trois soleils.

À ma mère, pour la leçon de vie
qu'elle nous donne tous les jours.

On eût dit que le corps, enflé d'un souffle vague,
Vivait en se multipliant.
Charles Baudelaire, « Une charogne »

1

Manelle était sur les nerfs, comme à chaque fois qu'elle passait le seuil de l'appartement de Marcel Mauvinier. Ce type avait l'art de la mettre hors d'elle. « Vous penserez à bien vider mon vase, mademoiselle. » Il l'accueillait toujours ainsi. Jamais bonjour, pas le moindre mot de bienvenue. Non, juste ce rappel à l'ordre crié depuis le fauteuil du salon dans lequel il vissait son postérieur du matin au soir : vous penserez à bien vider mon vase, mademoiselle. Sous-entendu qu'elle avait pour habitude de mal le vider, son vase. Mais elle ne pensait qu'à ça, Manelle, lorsqu'elle venait ici, ce pot de chambre émaillé décoré de fleurs mauves qu'il lui fallait trimballer tous les matins de la chambre jusqu'aux toilettes pour en vider le contenu dans la cuvette, résultat d'une nuit de désordre prostatique. À près de quatre-vingt-trois ans, veuf depuis peu, Mauvinier avait droit à quatre heures d'aide à domicile par semaine, réparties en cinq séances de quarante-huit minutes chacune, du lundi au vendredi. Des séances pendant lesquelles la jeune fille devait, outre vider le vase de nuit de monsieur, accomplir moult tâches comme celles de passer l'aspirateur, refaire le lit, repasser le linge, éplucher des légumes, le tout sous le regard suspicieux de ce vieux vicelard qui essayait toujours d'en avoir pour un peu plus que pour son argent. « Je vous ai fait la liste », minauda l'ancien. Tous les matins, la feuille à petits carreaux posée sur la toile cirée de la table de cuisine attendait la jeune femme. Y étaient consignées les tâches du jour. Manelle enfila sa blouse vert pâle et parcourut l'écriture serrée de Marcel Mauvinier, une écriture de radin qui ne débordait pas des lignes. Des mots tracés à l'économie.

Vase à vider
Linge à étendre
Mettre en route une lessive de blanc
Refaire le lit (taie d'oreiller à changer)

Arroser le ficus de la salle à manger
Balayer cuisine + couloir
Aller relever le courrier

Au petit jeu du Comment-occuper-son-aide-à-domicile-pendant-trois-quarts-d'heure, Marcel Mauvinier, ancien propriétaire d'un magasin d'électroménager, était devenu le roi. Manelle se demandait toujours pourquoi le mot « larbin » n'était pas du genre féminin. Elle consulta une deuxième fois son ordre de mission, s'efforçant de deviner où ce vicelard avait pu cacher la coupure de cinquante euros aujourd'hui. Elle aurait parié pour le ficus. Le billet était devenu le graal journalier de Manelle. Découvrir son emplacement relevait du challenge pour la jeune femme et pimentait quelque peu les quarante-huit minutes à venir. Un an plus tôt, lorsqu'elle avait découvert pour la première fois le bifton posé innocemment sur la table de nuit, elle avait suspendu son geste au moment de le saisir. Les mots « danger » et « terrain miné » avaient clignoté furieusement derrière son front. Ce billet de cinquante euros exposé à la vue, bien à plat au milieu du petit napperon qui couvrait le chevet, sentait un peu trop la mise en scène à plein nez pour être honnête. Marcel Mauvinier n'était pas du genre à laisser traîner de la monnaie, et encore moins une pareille coupure. Pendant quelques secondes, Manelle avait pensé à tout ce qu'elle aurait pu faire d'une telle somme. Restos, cinés, fringues, bouquins, chaussures avaient défilé dans son esprit. Des choses aussi précises que cette paire de sandales flashy aperçue la veille dans la vitrine du San Marina et soldée à quarante-neuf euros quatre-vingt-dix avaient un instant traversé ses pensées. La jeune fille avait finalement choisi d'ignorer le billet, refait le lit et quitté la chambre sans un regard pour ces cinquante euros qui la narguaient au milieu de leur écrin de dentelle. Marcel Mauvinier s'était arraché à la contemplation de son écran télé pour pointer son nez à la cuisine. « Tout va bien ? » s'était enquis le vieux tandis qu'elle remplissait la feuille de présence. Jamais jusqu'à ce jour le vieil homme ne s'était soucié de son bien-être. « Oui, tout va bien », avait-elle répondu en soutenant son regard. « Pas de problème? » avait-il ajouté suspicieux tout en trottinant d'un pas pressé jusqu'à la chambre. « Il devrait y avoir un problème ? », avait-elle minaudé dans son dos. La vue de la mine déconfite qui liquéfiait ses traits à son retour dans la cuisine avait comblé Manelle. Une déconfiture qui valait à ses yeux beaucoup plus que cinquante malheureux euros.

Depuis lors, le billet immatriculé U18190763573 – la jeune femme avait un jour relevé le numéro pour vérifier qu'il s'agissait bien de la même coupure – voyageait aux quatre coins de l'appartement de Marcel Mauvinier. Soumettre Manelle au supplice de la tentation semblait être devenu l'une des raisons de vivre du vieil homme. Les caméras avaient fait leur apparition un peu plus tard. Un véritable réseau de caméras miniatures judicieusement disséminées de manière à couvrir la quasi-totalité des cent dix mètres carrés. La jeune femme en avait dénombré cinq. Une dans la cuisine, une dans la chambre, une qui prenait le couloir en enfilade, une dans la salle de bains et une dernière dans le salon. Cinq yeux noirs et froids qui ne perdaient pas une miette de ses faits et gestes. Insidieusement, l'octogénaire était tombé dans son propre piège en se créant une addiction idiote qui consistait à essayer de prendre sur le fait son aide à domicile en train de lui dérober de l'argent. Elle avait surpris un jour ce vieux vicelard en train de visionner les enregistrements de la veille. Dès qu'elle en avait l'occasion, Manelle rendait aveugle les cyclopes miniatures. Un objet déplacé inopinément de manière à obturer la vue ou plus souvent un coup de chiffon malencontreux, histoire de détourner l'angle de la caméra vers le sol ou le plafond. Pas une seule fois, Manelle n'avait fait allusion à ce billet voyageur, chose qui continuait de rendre perplexe Mauvinier et l'irritait au plus haut point. À plusieurs reprises, la jeune femme avait été tentée de retourner le billet ou de le plier en quatre, histoire de bien signifier à ce vieux fou qu'elle n'était pas dupe de son manège, mais elle avait finalement jugé qu'ignorer totalement ces cinquante euros était la meilleure façon de retourner le supplice à l'envoyeur. Ainsi donc, tous les jours, la coupure l'attendait. Sur le tapis du séjour, sur le couvercle de la machine à laver, sur le frigo, coincée entre deux livres, posée près du téléphone, dans le meuble à chaussures, sur une pile de serviettes dans le placard de la salle de bains, dans la corbeille à fruits, glissée au milieu de la correspondance. Ou, comme aujourd'hui, près du ficus à arroser. Le billet se trouvait à demi glissé sous le pot en terre cuite. Tandis qu'elle remontait le courrier après avoir relevé la boîte aux lettres, Manelle se demanda soudain avec une certaine inquiétude quelle serait sa réaction si un jour Marcel Mauvinier finissait par se lasser du manège et remisait définitivement le billet dans son portefeuille. Elle avait fini par s'y attacher, à ce billet de cinquante euros qui donnait à ses tâches ménagères des allures de jeu de piste et de chasse au trésor.

À neuf heures quarante-cinq précise, une fois son travail terminé, l'aide à domicile ôta sa blouse et signa la feuille de présence. Pour l'avoir vu faire à de multiples reprises, elle savait qu'au même moment, Marcel Mauvinier tirait de la poche de son gilet le chronomètre qui y était dissimulé afin de s'assurer que les quarante-huit minutes avaient été scrupuleusement respectées.

2

Tous les matins, sitôt avalé les trois biscottes beurrées nappées de confiture de mûre – la seule qu'il aimait – et bu les quelques gorgées de café au lait qui les accompagnaient, Ambroise s'empressait de déposer bol et couverts dans l'évier puis balayait d'un rapide coup d'éponge les miettes éparpillées sur la toile cirée avant de remonter à pas feutrés le long couloir qui traversait l'appartement. Il ne manquait jamais de s'arrêter à mi-chemin au niveau de la première porte, le temps de coller son oreille contre le panneau de bois qui peinait à contenir les ronflements de Beth. Il aimait écouter les profonds bruits de gorge qui émanaient de la vieille femme.

Aujourd'hui, lui parvenait du fond de la pièce la musique d'une mer apaisée, l'affalement des vagues sur la grève suivi du pétillement du sable. Inspiration, expiration. Sac et ressac. Rassuré, Ambroise rejoignit le bout du corridor et se glissa sans bruit à l'intérieur de la salle d'eau qui jouxtait sa chambre. Le néon fatigué clignota deux fois, il clignotait toujours deux fois, avant d'inonder sol et murs de sa lumière froide. Un rectangle de contreplaqué condamnait l'antique baignoire sabot qui encombrait l'espace. Le jeune homme retrouvait toujours avec un même émerveillement cette paillasse de fortune sur laquelle reposaient les instruments. Étendus côte à côte sur la serviette éponge qui avait bu leur eau pendant la nuit, ils étincelaient de tous leurs chromes sous l'éclairage violent. Ambroise ne se lassait pas de contempler les reflets chatoyants que renvoyaient les surfaces inoxydables. Cet instant suspendu pendant lequel il se retrouvait seul avec eux dans cette pièce minuscule et surchauffée au milieu des odeurs de détergents le ravissait. Il énuméra à voix basse la check-list tandis que ses yeux voletaient de droite à gauche sur la serviette éponge. Scalpel, crochets à vaisseaux, séparateurs, pinces à mécher et à clamper, ciseaux dauphin, ciseaux courbes, aiguilles droites, courbes et serpentines, sondes, pince nasale, pince hémostatique, écarteurs, spatules souples et rigides. Il s'empara du plus beau de tous à ses yeux, le trocart. Long de près de cinquante centimètres, le tube de ponction pesait agréablement dans sa main. Sa pointe taillée comme un crayon était percée d'une dizaine de trous qu'il prit soin de nettoyer à l'aide d'un goupillon minuscule. Au pied de la baignoire, une volumineuse mallette de cuir aux rabats grands ouverts exposait son ventre de ténèbres. Ambroise saisit la peau de chamois suspendue au-dessus de l'évier et briqua un à un les instruments pour effacer les ultimes traces d'eau. Le chiffon glissa le long des aiguilles, caressa les lames, lustra les manches. Les uns après les autres, les outils furent remisés dans leurs étuis et rangés dans la valise. Après avoir jeté la serviette dans la corbeille de linge sale, Ambroise verrouilla les battants de cuir et emporta la mallette dans sa chambre, où elle rejoignit sa jumelle, valise en tout point identique dans laquelle se trouvaient la pompe et le produit d'injection. Posé sur la table de nuit, le téléphone portable vibrait de toute sa coque. Le jeune homme se racla la gorge et prit l'appel. Roland Bourdin des établissements Roland Bourdin et Fils ne prenait jamais la peine de se présenter lorsqu'il le contactait, se contentant pour toute carte de visite de ce ton froid et distant que lui avait toujours connu Ambroise. Depuis plus de quatre ans que le jeune homme travaillait dans la société, leur relation n'avait pas changé d'un iota. Professionnelle et rien d'autre. Traits taillés à la serpe, pâleur maladive, une barbichette clairsemée entourant des lèvres si fines qu'elles donnaient à sa bouche des allures de cicatrices violacées, son patron faisait partie de ces gens qui ont la tête de leur voix. Le sieur Bourdin n'ayant eu pour toute descendance qu'une fille unique, l'adjonction de ce « et Fils » à sa raison sociale n'avait d'autre raison d'être que celle d'affubler ladite entreprise d'un voile de respectabilité intergénérationnelle qui rassurait la clientèle. L'homme appelait pour un soin à domicile. Fidèle à son habitude et sans autre fioriture de langage que le strict nécessaire à la bonne compréhension, Bourdin cracha les informations dans un ordre convenu par lui seul et dont il ne dérogeait jamais : nom du client, prénom, sexe, âge et adresse du lieu d'intervention. « Pas noté numéro de rue mais maison jaune, d'après épouse », ajouta-t-il de manière laconique avant de raccrocher. Aussi avare en articles définis qu'en formules de politesse, pensa Ambroise tandis qu'il enregistrait les infos sur son iPhone. Il se rendit dans la vaste salle de bains qu'il partageait avec Beth, se brossa les dents, se rasa, domestiqua sa tignasse noire et abondante à coups de gel avant d'asperger ses joues de deux giclées d'après-rasage. Suspendu au cintre accroché dans l'armoire, le costume de présentation l'attendait. Chemise blanche, cravate gris foncé, veste et pantalon noirs. Il glissa ses soixante-seize kilos à l'intérieur des habits repassés de frais. Les vêtements de protection qui constituaient le véritable costume de travail, celui que les gens ne voyaient jamais, viendraient plus tard recouvrir le premier comme une seconde peau. Pour l'instant, seule comptait l'apparence. Ne pas effrayer, être aussi lisse que possible. Un fantôme, voilà ce à quoi il devait s'efforcer de ressembler. Un fantôme en costard cravate qui ne devait pas laisser dans son sillage plus de souvenirs qu'une ombre passagère. Satisfait de l'image que lui renvoyait le miroir au-dessus de l'évier, Ambroise se dirigea vers la sortie, les précieuses mallettes se balançant au bout de ses bras. Un touriste en partance pour un pays lointain, pensa-t-il en souriant. Son sourire s'agrandit en apercevant Beth plantée au milieu du couloir. Quelle que soit l'heure et malgré toutes les précautions qu'il déployait pour être le plus discret possible, il trouvait toujours la vieille femme sur son chemin au moment de quitter l'appartement, lui offrant sa mine radieuse. Il plia son mètre quatre-vingts afin de permettre à sa grand-mère de déposer sur son front le baiser du jour et de glisser dans le creux de son oreille ce « Va » qui sonnait à chaque fois comme une bénédiction. Plus n'aurait servi à rien. L'unique syllabe abritait toute la tendresse du monde.

3

La voix excitée de Fabrice Luchini explosa dans l'habitacle du fourgon flambant neuf. « Au rond-point, prenez la troisième sortie puis tenez la droite. » Ambroise sursauta. Il n'avait pas encore pris le temps de changer le réglage de son GPS. « Vous avez dans ce concentré de technologie toute une panoplie de personnages à disposition », lui avait vanté le vendeur de chez Renault lorsqu'il était allé prendre possession de l'utilitaire. « De Carole Bouquet à Jean Gabin, en passant par De Funès, Bourvil, Mitterrand, De Gaulle, Bardot et bien d'autres encore », avait ajouté le commercial avec fierté. Imaginer De Gaulle lui intimant de prendre à gauche ou Mitterrand de serrer à droite avait fait sourire le jeune homme. Ambroise se promit de virer Luchini à la première occasion pour le remplacer par Carole Bouquet. Une fois de plus, Bourdin avait choisi le coloris blanc pour cette nouvelle acquisition. « Vous êtes des artisans comme les autres », avait-il pour habitude d'asséner à son personnel à longueur d'année. Des artisans du corps humain, d'accord, mais ni plus ni moins que des artisans quand même. Et les artisans, ça ne roule pas dans autre chose que du blanc ! Ambroise n'appréciait pas spécialement de débarquer chez les clients dans le même genre de fourgonnette que celle d'un peintre en bâtiment, d'un plombier ou d'un électricien. Il aurait préféré une teinte plus noble, le même gris par exemple que son patron réservait aux véhicules de cérémonie, une couleur de compromission qui respirait la neutralité, la sobriété et l'efficacité. Au lieu de cela, il devait se contenter de cette teinte qui n'en était pas une, tout cela parce que Monsieur Bourdin voulait économiser les quatre cents euros de l'option peinture métallisée.

Fabrice donna de nouveau de la voix. « Dans deux cents mètres, prenez à droite, puis, vous êtes arrivé. » Des pavillons identiques bordaient de part et d'autre l'impasse des Sorbiers. Ambroise contempla dubitatif les maisonnettes clonées par dizaines, nanties du même garage et de la même terrasse minuscule, ornées des mêmes balcons, avec cette même toiture d'ardoises anthracite hérissée du même chien-assis, le tout entouré d'une même haie de thuyas. Pour son malheur, tous les pavillons déclinaient le jaune à l'infini : paille, soleil, citron, canari, maïs, genêt, moutarde. « Merci Roland Bourdin et Fils », pesta le jeune homme entre ses dents. Se fiant à son instinct, il se dirigea vers la bâtisse devant laquelle se trouvait le plus grand nombre de véhicules. Après avoir garé son fourgon à cheval sur le trottoir sous les bips autoritaires du radar de recul, il déchargea les deux volumineuses mallettes et escalada les marches qui menaient au perron. Il n'eut pas le temps d'atteindre la sonnette. La porte s'ouvrit sur une femme d'une soixantaine d'années au visage bouffi, les yeux rougis d'avoir trop pleuré. Le bonjour qu'elle lui glissa peina à franchir la barrière de ses lèvres. Elle était absente, butait sur les mots, murmurait plus qu'elle ne parlait. Comme tous les autres, pensa Ambroise. Le chagrin avait ce pouvoir terrible de capitonner les cordes vocales et d'étouffer les sons dans le fond des gosiers. Le jeune homme salua d'un signe de tête la petite assemblée présente dans le pavillon. Les gens s'écartèrent sur son passage tandis qu'il suivait la maîtresse de maison. La tristesse qu'emprisonnaient les murs rendait l'atmosphère étouffante. Ambroise prit la femme et les enfants à part et expliqua très succinctement ce pour quoi il était là, sans véritablement rentrer dans les détails. Rester à la surface des choses, ne rien dévoiler du processus, telle était la règle, quelles que soient les questions. Moins les gens en savaient, mieux cela valait pour tout le monde. Il choisit ses mots avec soin, des mots éprouvés à maintes reprises, des mots pour tranquilliser. Il demanda à avoir accès à un point d'eau avant de se faire conduire jusqu'à la chambre. Il rassura la femme une dernière fois avant de pénétrer dans la pièce. Une heure trente en tête à tête avec son époux, c'est tout ce dont il avait besoin pour accomplir ce qui devait être fait.

4

La chambre était plongée dans une pénombre artificielle. L'odeur prégnante si caractéristique qui parfois assaillait ses narines lorsqu'il arrivait dans un domicile était ici imperceptible. Ambroise posa ses mallettes à terre, alluma le plafonnier et ouvrit les rideaux afin de faire entrer un maximum de lumière dans la pièce. Sur une chaise étaient soigneusement disposés costume, chemise, cravate et sous-vêtements. Par terre se trouvait une paire de chaussures cirées de frais. Le corps gisait au milieu du lit. Soixantaine d'années, forte corpulence. Plus de quatre-vingt-dix kilos, jugea à vue d'œil Ambroise qui grimaça. Son dos allait encore être soumis à rude épreuve. L'homme avait une tête de bon vivant. Il allait falloir être sur ses gardes. Pour l'avoir constaté à maintes reprises, les bons vivants faisaient souvent de mauvais morts. La veste de pyjama grande ouverte laissait apparaître des marbrures sombres sur les flancs de l'homme. Cyanosées, les oreilles et les mains avaient déjà pris une belle teinte cassis. Ambroise ôta sa veste, passa sa blouse blanche, mit le masque de protection sur le bas de son visage et enfila une paire de gants en latex. Il déploya la housse mortuaire plastifiée à droite du défunt et fit rouler le corps par-dessus. La rigidité cadavérique avait déjà œuvré, raidissant membres et mâchoires. Casser l'enraidissement musculaire était le premier travail à accomplir. Ambroise saisit l'un des deux bras, l'articula d'avant en arrière au niveau de l'épaule, pesa de tout son poids pour le plier au niveau du coude. Il prit la main, étira et assouplit les doigts. Il fit de même avec l'autre bras, puis s'attaqua aux membres inférieurs. Pendant tout ce temps, il était à l'écoute du corps, promenait son regard à la surface de la dépouille, attentif au moindre détail. Massage cardiaque, déduisit le jeune homme à la vue de la zone bleuie qui s'étendait au niveau du sternum. Il fit recouvrir sa mobilité à la mâchoire inférieure. Puis Ambroise empoigna le défunt à bras-le-corps pour le soulever, le temps de retirer le haut du pyjama. Dernier tango, mon brave, avait coutume de dire à la personne ainsi enlacée son ancien maître de stage, qui lui avait tout appris et affectueusement surnommé Maître Thanato dans le milieu mortuaire. « Des illusionnistes, Ambroise, c'est tout ce qu'on est », lui répétait-il sans cesse. Rien d'autre que des illusionnistes qui doivent faire croire que tout se fige dès l'instant où la mort a frappé. Foutaises. La vie n'arrête pas de croître avec la mort, bien au contraire. Elle se repaît des corps, n'en a jamais fini avec eux. Sans nous, elle transformerait chaque dépouille en abomination. On est là pour inhiber sa présence invasive et la repousser comme on repousserait une armée en marche. La traquer, jusque dans les moindres organes, puis l'expulser et verrouiller les portes pour différer l'inévitable effondrement des chairs. « Des magiciens, jeune Padawan, s'enflammait-il avec fierté, voilà ce que nous sommes, ni plus ni moins que des magiciens qui avons pour lourde tâche de transformer les cadavres en de paisibles dormeurs. »

Après avoir déshabillé totalement le défunt, Ambroise ouvrit la mallette d'aspiration qui contenait la pompe, les poches et les collecteurs. Il alla remplir d'eau le bocal et prépara le flux d'injection en y ajoutant le conservateur à base de formol. Le liquide obtenu était d'un beau rose malabar. Il posa la pompe électrique sur le lit et cala les bocaux de perfusion et de ponction entre les jambes du mort. Il exhuma de la mallette les instruments qu'il déposa sur le plateau en inox, coupa deux fils de ligature, brancha la canule sur le tuyau, prépara les mèches en coton et sortit deux couvre-œil transparents. Ambroise aimait ces préliminaires qui précédaient l'action. Les gens ne devaient jamais voir le matériel. C'était une règle d'or, comme ils ne devaient jamais assister à l'opération. Le monde des vivants n'avait pas sa place ici lorsqu'il intervenait. Son ancien maître avait raison. Il était un magicien et comme tout magicien, il ne devait pas dévoiler ses tours. À l'aide d'un coton imbibé d'une solution alcoolisée et hydratante, il procéda au nettoyage du nez et des yeux avant de glisser sous les paupières les couvre-œil dont les aspérités avaient pour fonction de maintenir les yeux clos. Il enduisit d'une crème de massage les joues et les oreilles du défunt. À l'aide du scalpel, Ambroise pratiqua une incision de quelques centimètres à la base du cou pour extérioriser l'artère, prenant bien soin de ne pas léser la veine jugulaire toute proche et gorgée de sang. Une fois la canule insérée dans l'artère et maintenue en place par la pince à clamper, il brancha la pompe électrique qui vrombit doucement et commença l'injection. Bientôt, les veines se gonflèrent de nouveau. Il massa avec application les mains, les joues et les oreilles pour faciliter la pénétration du fluide. Toujours armé de son scalpel, le jeune homme pratiqua une deuxième incision, minuscule, entre le nombril et le sternum, incision par laquelle il enfila la pointe du tube de ponction relié au système d'aspiration. Après avoir passé deux litres de liquide de conservation dans le corps, Ambroise perfora le cœur à l'aide du trocart d'un geste franc et précis afin d'aller ponctionner le sang qui s'écoula aussitôt en un jet dru dans la poche de récupération. Il redémarra l'injection. Une fois encore, le miracle se produisit, beau comme un lever de soleil qui vient repousser la nuit. Les marbrures s'estompèrent, la peau retrouva un teint rosé, les cyanoses des joues et des oreilles disparurent comme par enchantement au fur et à mesure que le formol chassait le sang. Le visage jusque-là crispé dans la mort s'adoucit et se para d'un semblant de sérénité. Rassuré de se retrouver à l'abri du temps, pensa le jeune homme en lui-même. Toujours à l'aide du tube de ponction, Ambroise alla sonder un à un les organes pour collecter les surplus d'hémoglobine, d'urine et de gaz qui s'y trouvaient. Reins, poumons, vessie, estomac, avec l'expérience, le jeune thanatopracteur savait exactement dans quel organe il se trouvait selon la densité rencontrée au moment de la perforation. Ambroise arrêta la pompe. Le silence le prenait toujours de court. Il sourit derrière son masque. Un silence de mort. Il obtura narines et gorge en insérant profondément les mèches de coton puis s'affaira à cercler les mandibules en pratiquant le point de bouche à l'aide de l'aiguille courbe. Moins d'une minute plus tard, l'invisible entrelacs de fil entre la mâchoire inférieure, le palais et les cloisons nasales verrouillait les maxillaires. « Encore un qui ne parlera plus », avait pour habitude de conclure Maître Thanato après chaque point de bouche effectué. Il retira la canule d'injection et sutura le point d'entrée. Il prit le flacon qui contenait le fluide de cavité, le brancha au tuyau relié au trocart et souleva la bouteille au-dessus de sa tête. Soumis à la seule loi de la gravité, le liquide s'écoula dans le corps pour se répandre dans les organes en profondeur. Une fois le demi-litre de produit dispersé dans les entrailles, Ambroise retira le tube de ponction qu'il essuya consciencieusement puis posa le bouchon d'obturation à l'emplacement de l'incision. Des gestes de mécanicien après une vidange moteur, songea-t-il.

Le jeune homme rasa avec délicatesse les joues et le menton du défunt. Il lava le corps à l'aide d'un linge imbibé d'une solution désinfectante, le sécha puis entama avec lui une nouvelle danse pour le vêtir. Pendant près de dix minutes, Ambroise manipula les quatre-vingt-dix kilos de l'homme en ahanant sous l'effort, le retournant, le soulevant, le basculant. Il laça les chaussures, boutonna la veste, arrangea la cravate du mieux qu'il put puis brossa les cheveux. Tel un artiste devant son œuvre, il prit du recul et, après un dernier coup d'œil, tamponna légèrement l'oreille droite, plus sombre que l'autre, d'une discrète couche de fond de teint. Il réajusta le col de la chemise, recentra correctement le nœud de cravate et effaça un faux pli de la veste. Si les soins de conservation resteraient à jamais invisibles aux yeux des gens, l'apparence physique du défunt représentait la partie haute de l'iceberg et il fallait veiller à ce qu'aucun détail même anodin ne vienne mettre en péril l'ensemble de l'édifice. La housse mortuaire fut repliée sous le corps de part et d'autre. Les employés des pompes funèbres l'utiliseraient pour la mise en cercueil. Il remonta la parure de lit jusqu'au niveau du nombril. Après avoir croisé les mains du mort sur sa poitrine, Ambroise inséra entre ses doigts le brin de muguet qui se trouvait sur le chevet. Il remisa dans les mallettes les instruments, les flacons de produits utilisés, les poches contenant les fluides corporels et le sac de déchets dans lequel il glissa gants et masque. Après avoir troqué sa blouse contre sa veste et une heure vingt après être entré dans la chambre, Ambroise ressortait pour convier la famille à la présentation du corps. Le verdict tomba de la bouche de la fille aînée. « Il est beau, mon père », s'exclama-t-elle en baignant le front du défunt de ses larmes tandis qu'elle l'embrassait. Une fois de plus, le tour de magie avait fonctionné. Le thanatopracteur prit congé aussi discrètement que possible, ne laissant pas plus de traces et de souvenirs sur son passage qu'un fantôme. Un fantôme dont le téléphone vibrait dans la poche de pantalon pour l'informer de sa prochaine mission.

5

Samuel Dinsky arrivait comme une récréation dans la tournée de Manelle. Ses yeux, deux billes noires et pétillantes de malice, s'illuminaient toujours à l'apparition de la jeune femme. D'humeur égale, Samuel était devenu au fil des mois beaucoup plus qu'un simple client. Quatre-vingt-deux ans, un soupçon de cholestérol, célibataire et sans famille, l'homme était un mètre soixante-cinq de bonne humeur qui accueillait chaque jour Manelle avec une joie non feinte. Contrairement à d'autres, le vieil homme n'évoquait jamais le passé. Le numéro tatoué à l'encre violette entraperçu un jour à l'intérieur de son avant-bras expliquait peut-être cela. Elle était sa Fée Clochette, sa tourterelle, son bâton de vieillesse, sa Cendrillon, son sucre d'orge, sa petite pivoine, son rayon de soleil, sa mignonnette, autant d'appellations fleuries qui saluaient son arrivée tous les matins. Aucune arrière-pensée ne venait animer cette attention qu'il lui prodiguait et il ne fallait pas chercher derrière ces mots de sous-entendus graveleux. Contrairement à certains vicelards aux mains baladeuses qui avaient une fâcheuse tendance à confondre « aide à domicile » avec « hôtesse sexuelle », l'octogénaire n'exprimait rien d'autre à travers ces marques d'affection que le bonheur de la retrouver tous les jours, du lundi au vendredi, de onze heures à midi. Elle se plaisait à penser que ce privilège qui lui était réservé l'était pour elle et pour elle seule, même si une petite voix dans sa tête lui soufflait qu'il agissait sûrement de la même manière avec ses autres collègues et que cette habitude était sans doute le meilleur subterfuge qu'il avait trouvé pour éviter de confondre leurs prénoms respectifs. La petite maison qu'habitait Samuel rue d'Alger était à l'image de son propriétaire, à la fois simple et accueillante, sans fioritures inutiles mais néanmoins non dénuée de charme. Manelle aimait s'y échouer. Cette heure passée auprès du vieil homme lui procurait les mêmes effets bénéfiques qu'un premier bain de soleil au sortir de l'hiver. Elle toqua discrètement à la porte et entra sans attendre.

— C'est moi, s'annonça-t-elle depuis le couloir.

— Comment va ma petite caille, ce matin ?

— La petite caille va bien, merci. Et vous? s'enquit-elle en déposant un baiser sur les joues râpeuses de l'octogénaire, contrevenant ainsi à l'une des règles fondamentales de la profession qui consistait à éviter tout contact physique d'ordre affectif avec la clientèle. L'aide à domicile Mademoiselle Manelle Flandin devait en tout point se contenter d'accomplir les tâches officielles pour lesquelles on la payait, ni plus, ni moins – tâches qui devaient se limiter à :

Faire la vaisselle ;
Faire la lessive ;
Étendre la lessive ;
Faire les vitres ;
Faire le repassage ;
Faire les lits ;
Aider au lever ;
Aider au coucher ;
Aider à la toilette ;
Aider à l'habillage ;
Aider au déshabillage ;
Faire les courses ;
Préparer les repas ;

Nourrir les animaux domestiques ;
Étendre le linge ;
Sortir les poubelles ;
Sortir le chien ;
Balayer et récurer les sols ;
Cirer les parquets ;
Passer l'aspirateur ;
Fermer ou ouvrir les volets ;
Arroser les plantes ;
Et vider le vase de nuit de Marcel Mauvinier.

La même aide à domicile n'avait en aucun cas pour fonction de :

Lire tous les soirs à haute voix des extraits du dernier Marc Levy à Annie Vaucquelin au moment du coucher pour l'aider à s'endormir ;

Gérer le compte en actions de Pierre Ancelin ;

Passer une heure à classer les photos de la famille Perron ;

Boire un café en papotant ;

Manger une part de tarte ou une tranche de cake en papotant ;

Regarder et commenter les images des *Feux de l'amour* à Jeannine Poirier qui n'y voit plus ;

Jouer au Scrabble avec Ghislaine de Montfaucon ;

Préparer tous les vendredis soir son Negroni (un tiers Campari, un tiers vermouth, un tiers gin) à la veuve Dierstein et trinquer avec elle ;

Déposer chaque matin une bise sur les joues râpeuses de Samuel Dinsky.

Mais Manelle emmerdait le règlement et personne ne pourrait jamais l'empêcher d'embrasser tous les Samuel Dinsky de la terre sous prétexte que de tels témoignages d'affection étaient formellement proscrits par la bible des aides à domicile.

— Ça va toujours quand je vois ma petite fée du logis.

La boîte d'antalgiques posée sur le buffet démentait ses propos. Depuis quelque temps, le vieil homme souffrait de migraines récurrentes, des céphalées qui lui pourrissaient l'existence parfois pendant des jours. Dernièrement, la jeune femme avait surpris à plusieurs reprises des grimaces de souffrance venir déformer les traits de son visage tandis qu'il se croyait à l'abri des regards. Elle dénombra les cachets manquants sur la plaquette et s'inquiéta.

— Vous en avez pris six depuis hier ? C'est beaucoup, vous savez. Vous avez eu le docteur hier après-midi, qu'est-ce qu'il a dit ?

— Que pour mon âge, j'avais une tension de jeune homme. Il m'a juste renouvelé mes cachets pour le cholestérol et prescrit des antalgiques un peu plus forts mais je finis déjà ceux-là.

— Et c'est tout ?

— Non, je dois passer une IRM dans quinze jours et peut-être voir un neurologue ou je ne sais quoi. Il y a quoi au menu aujourd'hui, ma belle ?

Même s'il lui arrivait encore de cuisiner, le vieil homme avait demandé à bénéficier du service de portage de repas à domicile. La lecture du menu du jour était la première tâche qu'accomplissait la jeune femme en arrivant chez Samuel. Un rituel auquel elle se pliait avec amusement sous des airs faussement solennels. Elle saisit la feuille de cartoline sur laquelle s'étalait en une calligraphie tout en pleins et déliés le programme gastronomique de la semaine. Manelle monta sur une chaise et, tel un crieur de rue, déclama le texte d'une voix claire et chantante sous le regard amusé d'un Samuel aux anges.

— En ce mardi 12 avril, nous aurons en entrée une mortadelle sur son lit de verdure, suivi d'un émincé de volaille accompagné de sa purée Pierre-le-Grand. Et pour le dessert, le chef vous propose un laitage finement battu arrosé d'un coulis de fruits des bois. Le Maître Queux vous saura gré de lui faire part de toutes remarques susceptibles d'améliorer la qualité de sa prestation, hormis peut-être le fait que ces purées aux appellations enchanteresses comme la Musard pour les flageolets, la Conti pour les lentilles, la Crécy pour les carottes ou la Pierre-le-Grand pour le céleri comme aujourd'hui, finissent une fois chues dans l'assiette par ressembler toutes sans exception à la même bouse fumante couleur vert chiasse issue du même trou de balle !

Samuel applaudit vigoureusement la prestation de Manelle. La jeune femme passa les cinquante minutes suivantes à s'activer dans la maison, virevoltant de la chambre à la cuisine en passant par le salon en fonction des tâches à accomplir, tout en conversant avec l'octogénaire qui, assis près de la fenêtre, épluchait le journal du jour. Cinquante minutes pendant lesquelles ils discutèrent de tout et de rien, de choses graves ou légères, de la pluie et du beau temps, de la politique menée par le gouvernement, de peinture, de littérature. Cinquante minutes qui en valaient mille aux yeux de la jeune aide à domicile.

6

Beth était en pleine préparation d'un ragoût qui embaumait tout l'appartement lorsque Ambroise rentra du travail. Après un interrogatoire en règle sur le déroulement de sa journée, la vieille femme finit par lâcher la question qui la tourmentait depuis quelque temps au sujet de la vie sentimentale de son petit-fils. « Tu la revois, ta Julie ? » s'enquit-elle innocemment tandis qu'elle touillait la viande à l'aide d'une spatule. Non, Ambroise ne revoyait plus Julie. Pas plus qu'il n'avait jamais revu Manon, Lise ou Laurine. Les filles, ça avait toujours été un problème. Sa grand-mère désespérait qu'il trouve un jour l'âme sœur. Oh, les occasions ne manquaient pas. Avec sa grande taille, son visage d'ange et sa tignasse rebelle, Ambroise ne laissait pas la gent féminine indifférente. Et sans aller jusqu'à collectionner les aventures, le jeune homme avait rencontré l'amour à plusieurs reprises au cours de ces dernières années mais toutes ces histoires avaient fini par échouer au bout de quelques jours, quelques semaines, voire quelques mois pour les plus sérieuses d'entre elles. Avec le temps et l'expérience, Ambroise avait pourtant appris à biaiser, à taire sa profession, à l'enterrer sous le mensonge en racontant par exemple qu'il bossait dans le paramédical, mais survenait toujours malgré ses précautions le terrible moment où le mot refaisait surface : thanatopracteur. À chaque fois alors s'enclenchait un processus destructeur qu'il lui était impossible d'enrayer. D'abord, le déluge de questions qu'elles lui posaient, des pourquoi, des comment qui lui tombaient dessus et auxquels il ne pouvait échapper. Ses réponses provoquaient le plus souvent un sentiment de dégoût à l'idée que ces mêmes mains qui caressaient leur corps la nuit venue avaient tripoté le jour durant des dépouilles froides et raidies par la mort. Parfois au contraire, la révélation engendrait une attirance morbide qui s'introduisait dans le couple comme un ver dans le fruit. Mais le pire de tout était ce nouveau regard entre répugnance et fascination qu'elles portaient sur lui au sortir des aveux. Thanatopracteur. Le mot sonnait le glas de la relation. « Du gâchis », n'arrêtait pas de lui rabâcher Beth en parlant des rares jeunes filles qui avaient passé avec succès l'épreuve du kouign-amann. Pour la vieille femme, le genre humain était composé de deux groupes bien distincts : les gens qui aimaient le kouign-amann et les autres. Aucune des conquêtes ramenées à la maison par le jeune homme ne pouvait échapper au test pâtissier imposé par Beth au sortir du fromage. Pour les pincées de la bouche, les apeurées de la matière grasse, la sentence était sans appel : un être incapable d'apprécier la finesse beurrée d'un kouign-amann en son palais ne pouvait être apte à recevoir le bonheur en son cœur ! Les autres, dont Julie avait fait partie, recevaient sa bénédiction éternelle.

Ambroise avait fini par renoncer à s'attacher, tout simplement, préférant errer dans un désert sentimental entrecoupé çà et là d'aventures sans lendemain, de pâles succédanés à l'amour sans autre finalité qu'une partie de jambes en l'air. Du charnel, rien d'autre, et puis partir, avant que le mot ne vienne une fois de plus tout casser. Du sexe sans amour, comme un plat sans sel. L'autre jour, il avait osé les services d'une professionnelle. Tandis qu'il remontait sous une pluie battante le dédale de ruelles en direction du parking où était garé son véhicule, une jeune femme l'avait interpellé entre deux mâchouillements de chewing-gum. « Tu montes ? » Une réplique tirée d'un mauvais film de série B. Jambes longues et galbées enrobées de nylon, poitrine sculpturale, lèvres pulpeuses rehaussées de gloss. Sans réfléchir, Ambroise l'avait suivie dans le couloir sombre et puant avant d'escalader la dizaine de marches qui menaient à l'étage où se trouvait le minuscule studio qui faisait office de lupanar. « On paie avant », avait-elle ordonné. Il avait farfouillé maladroitement dans son portefeuille à la recherche des cinquante euros demandés. « Déshabille-toi, mon grand. » Une injonction sans chaleur. Le tutoiement d'une institutrice à son élève. Il avait obéi, pliant fébrilement ses vêtements avant de les poser sur la chaise prévue à cet effet. Combien de pantalons, de chemises froissées, de chaussettes roulées en boule, de sous-vêtements avaient précédé ses propres habits sur cette même assise ? « Allonge-toi. » Le lit étroit était recouvert d'une protection en papier, de celle que l'on trouve généralement sur la table d'examen des médecins, kiné et autres gynécologues. « Je suis thanatopracteur », avait lâché Ambroise. Pourquoi cette phrase à cet instant ? Il ne le savait pas lui-même. Peut-être avec le secret espoir que la fille allait le jeter comme un malpropre, lui balancer son billet à la figure en le traitant de pervers et le renvoyer jouer avec ses morts. Mais il n'y avait rien eu de tout cela. « Tu fais bien ce que tu veux, mon lapin », avait répliqué la péripatéticienne tandis qu'elle décalottait le prépuce et le branlait mécaniquement avant de glisser d'un geste expert le préservatif autour de son membre à la rigidité vacillante. Il avait frissonné. Des gestes de clinicienne. Ambroise avait tenté de caresser la poitrine de la jeune femme mais celle-ci s'était reculée comme sous l'effet d'une brûlure. « Pas les seins », s'était-elle exclamée en éloignant prestement sa main. « Ni la bouche, avait-elle ajouté. Ou alors tu paies. Cinquante, c'est seulement pour la pipe et l'amour. » Le tout dit sur le ton de la commerçante qui tance une clientèle un peu trop exigeante. Lorsqu'elle avait mis son membre dans sa bouche, il avait eu la terrible sensation que son sexe n'était ni plus ni moins qu'un vulgaire morceau de viande, un morceau de barbaque sous cellophane dissocié de son propre corps. Il s'était ensuite couché sur elle pour la pénétrer, avait frémi au contact des bas nylon. Une peau froide de reptile. Il avait fermé les yeux pour échapper à la lumière du plafonnier qui inondait la couche, se concentrant de toutes ses forces sur le désir et, après une laborieuse séance de va-et-vient, avait fini par jouir dans ce corps de femme qu'il ne connaissait pas quelques minutes auparavant. Un orgasme presque douloureux, mû par la seule volonté d'en finir au plus vite. L'immeuble avait recraché Ambroise sur le trottoir, un Ambroise dégoûté de lui-même. Cinquante euros, le prix de la damnation. Il s'était glissé sous la douche brûlante avant de savonner son corps pendant de longues minutes. Sous son parfum, c'était elle qui sentait la mort, elle et non lui.

7

Comme souvent, Madeleine Collot avait déjà quitté l'entrée de son immeuble à l'arrivée de Manelle et remontait le trottoir en boitillant en direction du haut de la rue, sac à main en bandoulière. Forte de ses quatre-vingt-dix kilos, elle avançait de sa démarche chaloupée, le corps boudiné dans un imperméable beaucoup trop petit pour elle. La jeune femme s'empressa de la rejoindre pour l'abriter de son parapluie et l'alléger du panier en osier qui se balançait au bout de son bras.

— Madeleine, combien de fois faudra-t-il vous répéter qu'il faut m'attendre ? Vous n'êtes vraiment pas raisonnable.

La vieille dame avait l'art de faire fondre son aide à domicile en arborant cet air de chien battu qu'elle lui présentait à chacune de ses réprimandes. Une fois de plus, Manelle ne put résister à la moue contrite que lui offrait sa cliente. Malgré son âge avancé, son surpoids et ses rhumatismes, qu'il vente, neige ou pleuve comme aujourd'hui, Madeleine Collot mettait un point d'honneur à se rendre tous les jours à l'épicerie de quartier qui se trouvait à moins de cinq cents mètres de chez elle. Aussi têtue que gentille et réservée, rien n'y personne n'aurait pu la détourner de cette mission sacrée: aller chez *Maxini*, « Max de choix, Mini prix ». La vieille femme prenait toujours un même plaisir à passer la porte du magasin accompagnée de son aide à domicile dont la tâche consistait à la suivre comme son ombre, le panier à commissions à portée de main. L'opération ne durait guère plus d'un quart d'heure, le temps de faire quelques emplettes, de quoi tenir la journée jusqu'aux courses du lendemain. « Je ne sais pas comment expliquer ça, avait-elle un jour avoué à Manelle qui la questionnait sur cette drôle d'addiction. Ça m'aide, voyez-vous. Avant, j'allais à l'église pour assister aux petites messes du matin mais il n'y a plus ni messes ni curé dans le quartier. Alors je me suis rabattue sur *Maxini*. C'était sur le chemin de l'église et c'est toujours ouvert. Je ne sais pas pourquoi mais ça me rassure, de voir tous ces rayons bien remplis et rangés tout comme il faut. Et puis c'est idiot mais ça me donne un but pour le lendemain. Le dimanche que c'est fermé, je ne me sens pas dans mon assiette. J'angoisse et la journée me paraît beaucoup plus longue. Je connais plein de veuves qui ce jour-là vont voir leur défunt au cimetière mais moi, mon Dédé, j'ai pas besoin d'aller causer devant un bout de granite poli pour qu'il me réponde. J'aime pas les cimetières et j'aime pas les dimanches », avait-elle conclu.

L'épicerie *Maxini* respirait l'abondance. L'étroitesse des allées accentuait cette impression et chaque mètre linéaire était utilisé au maximum de ses capacités. Phénomène étrange qui ne finissait pas d'intriguer la jeune femme, la claudication de Madeleine Collot tendait à disparaître lorsqu'elle déambulait entre les rayons achalandés. Aujourd'hui encore, le pas de la vieille femme se fit plus alerte au fur et à mesure qu'elle s'enfonçait dans les profondeurs du magasin. Madeleine se contenta pour tout achat d'une escalope de veau, d'une barquette de céleri rémoulade, d'un litre de jus d'orange et de quatre yaourts nature. Il n'y avait qu'une caisse chez *Maxini*, une caisse tenue tantôt par Boussouf, un jeune étudiant toujours souriant et qui adorait plaisanter, tantôt par la gérante, une dame revêche, sèche et sans âge, vêtue de son éternelle blouse rose délavée. À la roulette *Maxini*, vous n'aviez que ces deux cases : le sourire Boussouf ou le rose gérante. Aujourd'hui, c'était le rose qui l'avait emporté.

— Treize euros et vingt-huit centimes, annonça la patronne du haut de son tabouret à roulettes.

La somme avait claqué comme une sentence. Madeleine, après avoir fouillé fébrilement dans son sac à main, dut se rendre à l'évidence : elle avait oublié son porte-monnaie à la maison. La panique qui se lisait dans son regard émut Manelle.

— C'est pas grave Madeleine, ne vous en faites pas pour ça, vous me rembourserez plus tard, la rassura-t-elle tandis qu'elle tendait sa carte bleue à la caissière.

— Désolée mais la maison ne prend pas les paiements par carte bancaire en dessous de quinze euros.

L'autre avait débité sa tirade sur un ton qui ne laissait place à aucune discussion. Le cadran de la caisse enregistreuse affichait la somme de tous ses chiffres lumineux. Un trois point deux huit. Manelle soupira.

— Madame Collot vient ici tous les jours, vous ne pouvez pas faire une exception ?

La dame tapota de son index osseux la petite pancarte scotchée à même le capot de la caisse : *CB acceptée à partir de quinze euros d'achat.* L'adhésif avait jauni sous l'effet du temps et le feutre bavé par endroits. L'aide à domicile regarda le prénom sérigraphié sur la blouse de l'épicière avant d'insister.

— Écoutez Ghislaine, je n'ai pas de liquide sur moi, vous ne pouvez vraiment pas faire une exception ?

Non, Ghislaine, de toute évidence, ne pouvait pas. Sa tête oscillait de droite à gauche tandis que sa bouche émettait des tut-tut-tut à n'en plus finir. Un arroseur automatique, songea Manelle.

— C'est pas grave, balbutia une Madeleine chamboulée qui n'en pensait pas moins.

Revenir de chez *Maxini* le panier vide ne lui était jamais arrivé.

— Si, c'est grave, fulmina la jeune femme.

Le week-end n'était pas parvenu à éponger sa fatigue et elle n'était pas d'humeur à se laisser engluer l'existence par une mégère squelettique. Lors de leur dernière réunion d'équipe, la responsable de secteur leur avait encore rabâché que les prises d'initiative individuelles n'étaient pas interdites, à condition bien entendu que la situation le demande. La situation le demandait. Miss

Calculette voulait un minimum de quinze euros, Manelle allait les lui donner. Elle avisa les bocaux de bonbons et le présentoir à sucettes entreposés près de la caisse. Il y avait là des friandises de toutes les couleurs et de toutes les formes. Des gélifiées, des citriques, des dragéifiées, des en guimauve, des à mâcher, à sucer, à laisser fondre sur la langue. Des à deux, trois, quatre ou cinq centimes pour les plus chères d'entre elles.

— Comment étaient vos triglycérides sur vos dernières analyses, Madeleine ? questionna Manelle.

— Bonnes. C'est mon cholestérol qui dépasse un peu mais les triglycérides, ça va.

— Bien, vous allez nous mettre pour un euro soixante-douze de bonbons, s'il vous plaît Ghislaine, merci. C'est moi qui vous les offre, ajouta l'aide à domicile à l'adresse de Madeleine dont les yeux se mirent à pétiller de gourmandise.

La caissière avait déjà plongé la serre qui lui servait de main dans le premier bocal à disposition afin d'en extirper une pleine poignée de rouleaux de réglisse à cinq centimes pièce. La jeune femme stoppa son geste.

— Attendez, non, pas ça. Vous nous mettrez dix fraises Tagada, quatre Bananes… euh… trois Bubblizz. On va prendre aussi un sachet de Carensac, cinq bonbons Coca, voilà… ah, des Crocodiles, c'est bon les Crocodiles, mettez-nous huit Crocodiles.

La main de la commerçante voletait d'un bocal à un autre, dévissant et revissant les couvercles au gré des instructions. Manelle suspendit un instant son énumération.

— Où en est-on ? s'enquit-elle en minaudant. C'est pas tout mais faudrait voir à ne pas dépasser.

Après avoir pianoté nerveusement sur sa calculette, la gérante annonça le score.

— On en est à quatre-vingt-quinze centimes.

Déjà, quelques clients commençaient à trépigner et à souffler dans le dos de Manelle pour son plus grand plaisir.

— Mettez-nous encore quatre Dragibus, six Schtroumpfs, deux Cocobat, un Acidofilo cola et… deux Œufs au plat. Non, attendez, non, mettez un seul Œuf et ajoutez plutôt un Dentier Dracula. Ça donne quoi, là ?

Les touches cliquetèrent à tout va. La file d'attente s'était encore engraissée de quelques clients supplémentaires. La révolte commençait à gronder.

— C'est en panne ?

— Qu'est-ce qui se passe ?

— C'est quoi ce bordel ?

Manelle se retourna et offrit aux impatients un haussement d'épaules pour signifier son dépit.

— Un euro quatre-vingt-huit, s'écria avec hystérie Miss Calculette.

— Ça dépasse, remarqua la jeune femme qui lui fit remplacer un Cocobat et deux Crocodiles par un Bubblizz, histoire de jouer au Compte est bon.

La main osseuse se saisit avec empressement de la carte bleue et l'inséra dans le lecteur. Au moment de partir, Manelle déposa devant la caissière le Dentier Dracula gélifié et lui offrit son plus beau sourire.

— Pour vous. Il vous ira à merveille.

Madeleine descendit la rue aux côtés de son aide à domicile avec, précieusement serré contre elle, le sac de friandises. Arrivée à bon port, elle clopina jusqu'à son fauteuil dans lequel elle s'échoua en soufflant de contentement. Depuis la cuisine où elle rangeait les courses, Manelle accueillit comme un cadeau le sourire enfantin qui vint illuminer le visage de la vieille femme tandis qu'elle ramenait à la lumière une première fraise Tagada.

8

Ce soir encore, Beth l'avait sermonné au sortir du repas. « Si ça n'est pas malheureux de voir ça, un meuble qui ne sert à rien d'autre qu'à ramasser la poussière », l'avait-elle tancé en désignant la bibliothèque du menton. Ambroise se souvenait de cette après-midi entière passée à monter les trois éléments ramenés de chez Ikea. Une après-midi à déballer et répertorier méthodiquement les différentes pièces avant de les assembler en respectant scrupuleusement les instructions de la notice de montage. Près de trois mois s'étaient écoulés depuis que la bibliothèque flambant neuf, modèle Hemnes, coloris blanc, avait été dressée contre le mur du salon. Depuis, il ne se passait pas une semaine sans que Beth ne lui fasse de remarques sur ces étagères vides qui la désolaient. « Une bibliothèque sans livres, c'est moche comme une bouche sans dents, se plaisait-elle à rabâcher. Et ça n'a pas plus de sens qu'un cimetière sans tombes, ajoutait-elle le plus sérieusement du monde. Tu sais où sont les livres, Ambroise. Tu as la clé, il te suffit juste d'aller les chercher », lui rappela-t-elle. Bien sûr, qu'il savait où se trouvaient ses livres. Et bien entendu qu'il avait conservé le jeu de clés que sa mère lui avait donné lorsqu'il avait quitté le domicile de ses parents quatre ans plus tôt. Seulement voilà, entre les livres et lui, il y avait son père, le professeur Henri Larnier. Depuis que sa mère n'était plus là, Ambroise n'était jamais retourné dans la villa située sur les hauteurs de la ville. Sa mère, qui avait passé toute son existence dans l'ombre du grand homme, à vivre par procuration dans sa prison dorée. Attentive à ses moindres désirs, anticipant chacun de ses besoins, elle avait fini par trouver un semblant d'épanouissement dans un dévouement sans limite envers son célèbre époux. Où qu'elle se trouve, à la boulangerie, à la médiathèque, au théâtre, au marché, chez sa coiffeuse, on ne l'appelait jamais autrement que par ce nom : la-femme-du-professeur-Henri-Larnier. Et lorsqu'il s'était vu attribuer le prix Nobel de médecine en 2005 pour ses travaux sur le traitement des complications postopératoires, Cécile Dumoulin, épouse Larnier, avait aussitôt été rebaptisée par tous la-femme-du-prix-Nobel-Henri-Larnier. Tel était devenu son nom, pour l'éternité. « Surtout ne le dis pas à Henri », lui avait-elle murmuré, de la peur dans la voix, tandis qu'elle glissait le trousseau dans la main de son fils. Sa mère avait vécu ce geste comme un véritable acte de résistance, l'unique peut-être de toute sa vie d'épouse obéissante. Cela devait rester leur petit secret entre une mère et son fils. Ambroise n'avait jamais eu besoin d'utiliser le précieux sésame. Une fois par semaine, après s'être assuré que le grand homme était à son travail, le jeune homme garait sa voiture dans une rue adjacente et marchait d'un pas nerveux jusqu'au portail du numéro huit de la rue Fenouillet avant de se faufiler entre les grilles, tel un amant rendant visite à sa maîtresse. Arrivé en haut du perron, il lui suffisait en général de pousser la porte laissée entrouverte à son intention pour rejoindre sa mère qui, coiffée et pomponnée, le serrait d'abord longuement dans ses bras avant de prendre du recul pour poser sur lui ce genre de regard scrutateur qu'ont toutes les mères lorsqu'elles retrouvent leur enfant après une trop longue absence. L'heure qui suivait consistait à converser de tout et de rien, à refaire le monde autour d'une orangeade ou d'un verre de vin, à rire en se mangeant des yeux. Aucun d'eux n'évoquait jamais son père pendant cette heure-là. Cette heure était la leur, à eux et à eux seuls. L'éloignement leur donnait soif l'un de l'autre. Elle voulait tout savoir sur sa vie, son travail, ses amis, ses amours, sur ce que Beth lui avait mitonné pendant la semaine. Lui l'interrogeait sur sa santé, ses préoccupations, le dernier film qu'elle avait regardé ou le dernier livre lu. Pendant ces soixante minutes, la-femme-du-prix-Nobel-Henri-Larnier redevenait une femme comme les autres, avec ses envies, ses joies, ses peines. Chacune de ces visites clandestines la ressourçait. Aussi, avait-elle tu à son fils le mal qui était venu se nicher sournoisement dans ses entrailles un jour d'avril. Pas envie peut-être d'enlaidir cette heure sacrée en lui narrant la douleur sourde qui avait pris naissance à la gauche de son ventre et ne la lâchait plus. Elle n'en avait rien dit à son époux non plus. Peur de déranger le grand homme peut-être, peur aussi sûrement de prononcer sous ce toit des mots devenus tabous depuis qu'Henri Larnier avait interdit de parler médecine à la maison après le départ de son fils. Elle avait caché aussi longtemps que possible les stigmates du cancer, mettant sa perte de poids sur le compte d'un régime imaginaire mais lorsque les signes avaient éclos au grand jour, il était trop tard. Métastasée au dernier degré, elle avait été dévorée par la bête en moins de deux mois. Son père n'avait rien vu. Lui, le prix Nobel de médecine, l'éminent chirurgien qui passait ses journées au milieu des tumeurs tant malignes que bénignes, n'avait à aucun moment été foutu de déceler l'abomination qui rongeait sa propre femme de l'intérieur. Le jour de l'enterrement, père et fils s'étaient retrouvés de part et d'autre de la tombe, groggy, debout, contemplant sans comprendre ce fossé qui les séparait et qui contenait beaucoup plus que la dépouille d'une mère ou d'une épouse. L'idée de retourner dans cette maison le répugnait mais il le fallait. Il le promit à Beth. Demain, il irait chercher ses livres.

9

Partageant son temps entre son service de cancérologie à l'hôpital et une permanence à l'OMS à Genève tous les débuts de semaine, son père était souvent absent de la maison. Ambroise ouvrit le portail et gara sa voiture dans l'allée gravillonnée, bien en vue. Pas envie de se faufiler dans la villa comme un voleur. Après tout, il était Ambroise Larnier, le-fils-du-prix-Nobel-Henri-Larnier et il était ici chez lui. Sitôt franchie la porte, il bascula le clapet qui donnait accès au clavier mural et composa le code pour déverrouiller l'alarme. 12102005. Douze octobre 2005, date de remise du prix Nobel de médecine à son père. Le code était resté le même depuis toutes ces années. Défaut d'orgueil. Le jeune homme traversa le salon et entrouvrit la baie vitrée qui donnait sur la terrasse. La pelouse fraîchement tondue répandait dans les airs d'agréables senteurs d'herbes coupées. Plus loin l'eau de la piscine, d'un bleu turquoise, scintillait sous le soleil. Une eau dans laquelle plus personne ne se baignait, il en était sûr. Du plus loin que pouvaient remonter ses souvenirs, il ne se rappelait pas avoir vu un jour son père en maillot de bain. « Une piscine sans baigneurs, c'est comme un parking sans voitures, c'est triste et ça sert à rien ! » aurait dit Beth. La maison semblait sortir d'un grand nettoyage. Propre et froide furent les deux adjectifs qui vinrent à l'esprit d'Ambroise tandis qu'il contemplait le séjour. Il manquait le côté chaleureux qu'entretenait sa mère entre ces murs du temps de son vivant. Un bouquet de fleurs sur un buffet, des coussins disposés sur le canapé de façon volontairement désordonnée, un livre en cours de lecture sur un accoudoir, des magazines sur la table basse du salon, un bâton d'encens se consumant doucement, un panier de fruits à disposition, une grille de mots croisés entamée, autant de signes d'une présence humaine qui avaient disparu. Sur tous les murs s'étalaient des photos de son père. Son père posant avec un ministre, son père serrant la main d'un président, son père recevant une distinction de ses pairs, son père et son Nobel, son père en blouse blanche lors de l'inauguration d'un nouveau service de cancérologie. Et partout, soigneusement encadrés ou posés sur les étagères, des diplômes, des récompenses, des extraits d'articles élogieux. Nulles traces de sa mère ou d'Ambroise dans ce temple érigé à la gloire de l'homme de science. Il s'arrêta un temps devant la cuisine et sourit tristement à la vue de la table ronde autour de laquelle avaient retenti tant de cris, où tant de mots avaient été jetés à la figure de l'un et de l'autre, où avaient été ravalés tant de non-dits entre un père et un fils se déchirant à l'heure des repas devant une mère et épouse impuissante.

Affubler son enfant du même prénom que le célèbre précurseur de la chirurgie moderne, Ambroise Paré, en disait long sur les espoirs de réussite affichés par le père pour son fils. Mais l'enfant puis l'adolescent et plus tard le jeune homme ne s'étaient jamais montrés à la hauteur des ambitions de l'illustre géniteur. À quinze ans, Ambroise abandonnait au grand dam de son père l'étude du piano pour la guitare, guitare électrique de surcroît, délaissant sans scrupules Wolfgang Amadeus Mozart pour Angus Young. À dix-huit ans, il obtenait son bac avec la mention « Assez bien », loin du « Très bien » attendu par Henri Larnier. Après avoir doublé sa première année de médecine, le jeune homme mettait définitivement un terme aux aspirations paternelles en intégrant l'un des Instituts de formation en soins infirmiers de la région. Le coup de grâce avait été porté un peu plus tard lorsque, après deux stages en hôpital, le jeune homme annonçait à ses parents un soir de décembre ne pas supporter la souffrance des vivants mais considérer en revanche des plus nobles le travail consistant à prendre soin du corps des défunts. « Embaumeur ! » avait craché son père, hors de lui. Comment Ambroise Larnier, son propre fils, pouvait-il s'abaisser à pratiquer le deuxième plus vieux métier du monde après celui de prostituée ? « Si ce sont les morts qui t'intéressent, va les rejoindre mais ne fous plus les pieds dans cette maison ! » avait éructé le prix Nobel au bord de l'apoplexie. Le jeune homme avait bouclé sa valise, embrassé sa mère en larmes et quitté la villa sans un regard pour cet homme avec lequel il n'avait jamais rien partagé d'autre que des cris ou de la déception. Beth l'avait recueilli sans l'assaillir de questions, l'avait laissé s'installer dans la chambre du fond et lui avait confectionné un kouign-amann pour le consoler.

Ambroise emprunta l'escalier qui menait à l'étage de la villa et entra dans son ancienne chambre.

Rien n'avait bougé depuis son départ. Mêmes posters aux murs, même disposition des meubles. Des post-it vieux de quatre ans tapissaient le sous-main du bureau. Un musée, pensa-t-il. Mon musée. Sa mère avait conservé le lieu en l'état, avec le secret espoir qu'un jour il reviendrait vivre sous le toit familial. Les étagères murales croulaient sous le poids des livres. Se trouvaient là toutes ses collections de BD. Les *Trolls de Troy*, *Les Passagers du vent*, *Les Bidochon*, tous les *Tintin*, la série *Le Chat*, plusieurs Franquin. Plus bas, les romans qui avaient accompagné les nuits de son adolescence. Des Stephen King, des J.K. Rowling, des Tolkien. De la littérature de gare, aux yeux de son père. Le jeune homme déploya les deux grands sacs qu'il avait apportés et y déposa soigneusement les ouvrages. Après deux voyages jusqu'au coffre de la voiture, il s'assura de n'avoir laissé aucune trace de son passage et verrouilla la porte de la villa. Une prison, pensa-t-il tandis qu'il rebranchait l'alarme. Mon père habite une prison.

10

Ghislaine de Montfaucon avait élevé l'art de la propreté au rang de religion et son intransigeance dans ce domaine était à la hauteur de sa maniaquerie. S'essuyer les pieds lorsque l'on pénétrait dans la maison cossue située au cœur de la vieille ville était loin de suffire aux exigences hygiéniques de la dame. Une corbeille remplie de surchaussures jetables attendait le visiteur au sortir du paillasson. Manelle saisit une paire de protections bleues et en garnit ses pieds avant d'aller plus loin.

— Je suis là, Mademoiselle Flandin. Laissez la vaisselle, nous verrons cela plus tard.

Comme d'habitude, pensa la jeune femme en patinant sur le parquet ciré jusqu'à la salle à manger. La vieille dame l'attendait, déjà attablée devant le plateau de Scrabble, impatiente de poursuivre la partie entamée trois jours plus tôt. En réalité, Ghislaine de Montfaucon ne demandait rien d'autre à ses aides à domicile que de tenir une heure durant le rôle de partenaire de jeu. Des collègues de Manelle s'en étaient plaints. Pas elle, qui préférait de loin une heure de Scrabble, de dames ou de petits chevaux à une heure de repassage ou de ménage. La vieille dame était une fois de plus sur le point d'emporter la partie haut la main car, en plus d'être maniaque, Ghislaine de Montfaucon était la reine des tricheuses. Devenue maîtresse dans l'art de créer des mots, elle inventait elle-même les définitions qui finissaient par devenir réelles à ses propres yeux, et à ses propres yeux seulement. Ce mécanisme d'autopersuasion laissait à chaque fois la jeune auxiliaire de vie pantoise. Un GRIJAK ? Mais si voyons, un grijak est un ours primaire à la fourrure très drue qui fréquentait le nord du continent américain à l'ère glaciaire. TORQAD ? Le torqad est un plat à base de maïs et de cabri que l'on consomme sur le plateau tibétain. Très goûtu, paraît-il. Il arrivait que certains mots entraînent la naissance d'autres mots. HÉXUFER : action qui consiste à polir l'acier à l'aide d'un héxufoire, outil en forme de spatule. Il y avait bien longtemps que Manelle fermait les yeux sur ces néologismes de pure invention. Tout comme elle ne signalait plus la disparition de certaines lettres de son chevalet, souvent des voyelles remplacées par des consonnes, ou l'ajout de cases fictives de mot compte double à l'avantage de la vieille dame au moment de compter les points. Ce jour-là encore, Ghislaine de Montfaucon ne put s'empêcher de tomber dans ses vilains travers, n'attendant même pas que Manelle ait pris place en face d'elle pour déposer un nouveau mot sur le plateau :

— MALITH. Mot compte double, ce qui nous fait vingt-deux points, jubila-t-elle. À vous Mademoiselle.

Manelle s'abstint de faire remarquer à la vieille dame que c'était elle qui aurait dû jouer en premier, si ses souvenirs de la veille étaient bons, tout comme elle s'abstint de mentionner que MALITH en mot compte double donnait un total de vingt points et non de vingt-deux. Quant à la signification du mot lui-même, elle n'eut même pas le plaisir d'en faire la demande à son inventrice car Ghislaine de Montfaucon, veuve de son état et bon pied bon œil pour ses quatre-vingt-douze ans, s'empressa de la lui fournir. La malith est une roche extrêmement dure que l'on trouve sur le flanc des volcans. Manelle sourit en découvrant son chevalet. Les lettres A et U qui lui offraient la possibilité de faire SPATULE le jour précédent s'étaient miraculeusement transformées en un G et un H pendant la nuit. Avec le A de MALITH, elle se contenta de TAGS et piocha trois jetons dans le sac de toile. Des jetons qui, une fois par mois, étaient lavés à grande eau et essuyés un à un pour un nettoyage en règle. Ghislaine de Montfaucon ne rigolait vraiment pas avec l'hygiène.

11

La morgue se trouvait au deuxième sous-sol de l'hôpital. Ambroise s'engouffra dans la vaste cabine d'ascenseur et appuya sur le bouton. Derrière les effluves de javel qui émanaient des parois, lui parvint insidieusement l'odeur âcre des dépouilles, de plus en plus tenace au fur et à mesure de la descente. C'était une odeur grasse qui venait se coller à la peau, aux vêtements, aux cheveux et qui, il le savait pour l'avoir vécu à maintes reprises, allait imprégner ses sinus avant de s'ancrer derrière son front pour le hanter encore même après son retour à l'air libre. Une odeur d'abomination. La plus belle définition que le jeune homme ait jamais entendue concernant ces exhalaisons lui avait été glissée par un vieux brancardier : des odeurs à ne pas regarder.

— Eh, voyez qui voilà, Monsieur Ambroise en personne !

Le jeune homme retrouvait toujours avec beaucoup de plaisir Boubacar et Abelardo, les deux morguistes du lieu. L'un était aussi noir et baraqué que l'autre était pâlot et chétif. « Frères de lait », blaguait souvent Boubacar sous le regard blasé de son collègue. Lorsqu'on leur demandait leur profession, ils avaient pour habitude de répondre « morgueur-apnéiste », ce qui plongeait l'interlocuteur dans une profonde réflexion. Côté apnée, les deux gaillards en connaissaient un rayon car l'ouverture de certains casiers imposait de savoir retenir un temps sa respiration. Ce sous-sol était leur chez-eux, leur seconde maison. On n'allait pas à la morgue du CHR, on se rendait chez Bouba et Abel.

Vêtus de leur éternelle blouse verte, pas le vert chirurgien, non, un vert horticole précisait toujours le Sénégalais le plus sérieusement du monde, ils ne quittaient leur terrier que pour monter dans les étages chercher les morts, ranger les dépouilles dans les casiers, les en ressortir au gré des demandes, réceptionner les agents des pompes funèbres, préparer la salle de culte, accueillir les familles. Pour tous, médecins légistes, entreprises mortuaires, thanatos, proches des défunts, Boubacar et Abelardo étaient le point de passage obligé pour accéder aux corps. Ils étaient les gardiens du temple et la mémoire vive de la morgue. Les deux compères connaissaient chacun des occupants des dix-huit tiroirs de la salle des longs séjours, celle réservée à l'institut médico-légal. Madame Mangin du neuf était partie hier pour inhumation. Monsieur Dompart de la douze devait être revu demain par le légiste.

La petite pièce où ils passaient le plus clair de leur temps était un îlot coloré et vivant. Partout sur les murs s'étalaient des cartes postales de mers turquoise, de séjours à la montagne, des photos de femmes et d'enfants hilares, de noces, de fêtes. Des images de la vie du dessus, loin du monde d'en bas et de ses odeurs à ne pas regarder. De nombreux bouquets de fleurs égayaient l'endroit. De pleines brassées d'œillets, des roses et des tulipes de toutes les couleurs et autant d'arrangements floraux non réclamés par les familles et qui finissaient ici pour les plus beaux d'entre eux. Cette pièce était leur radeau, un radeau foisonnant de vie au milieu d'un lac aux eaux huileuses, stagnantes. Bouba s'était levé de table pour venir écraser Ambroise contre sa poitrine.

— Comment va mon petit sorcier blanc ? Toujours à réveiller les morts ?

— C'est ce que je sais faire de mieux, répliqua le jeune homme tandis qu'il s'arrachait à l'étreinte du grand Sénégalais pour embrasser Abel.

— Tu casses une graine avec nous ? T'as le temps, c'est juste une toilette et la famille ne vient pas avant quinze heures.

— Vous êtes gentils mais j'ai déjà déjeuné.

Les deux morguistes mangeaient à longueur de journée. Quelle que soit l'heure, la table posée au milieu du cagibi était toujours garnie de victuailles. Aujourd'hui, des friands maison côtoyaient du manioc frit. Ambroise se demandait comment on pouvait apprécier une quelconque nourriture dans un endroit pareil. « Tu le crois si tu veux mais on supporte mieux les odeurs l'estomac plein », lui avait dit un jour Bouba. Le jeune homme accepta le verre de vin que lui tendait Abel, un Rioja produit par un cousin espagnol du côté de Penedès. « Eh, tu connais celle du légiste interviewé par un journaliste ? s'exclama Bouba. Le journaleux lui demande : "Docteur, combien d'autopsies avez-vous effectuées sur des morts ?" Et l'autre répond : "Toutes mes autopsies ont été effectuées sur des morts." » Ambroise sourit. Il aimait les vannes souvent cyniques du grand

Sénégalais. Étrange phénomène que ce contraste entre l'exubérance joyeuse des deux morguistes et le milieu dans lequel ils œuvraient, comme si le fait de se trouver en permanence au contact des morts exacerbait leur propension à aimer la vie.

— J'ai mis ton client en salle trois. Tiens, le sac d'habits est là, ajouta Bouba en lui tendant la housse contenant le costume. Cherche pas les godasses, y en a pas. Le dentier est sur le chariot.

Ambroise remonta le couloir jusqu'à la salle de soins. Déjà dévêtu, le défunt, un Asiatique de soixante-douze ans, ne portait qu'une simple couche. Des traces de perfusion ornaient le poignet et le jeune homme put lire sur le cou les vestiges d'une trachéotomie. Le corps était d'une maigreur impressionnante. Le cancer avait souvent cette particularité de vider son hôte, d'assécher les visages, de dévorer les graisses puis les chairs, n'abandonnant à la Faucheuse qu'une dépouille squelettique et gorgée de médecines. Bouffé de l'intérieur par la bête immonde, pensa Ambroise. L'abdomen, légèrement distendu, laissait apparaître une belle tache verte, signe que les bactéries étaient déjà bien présentes et prêtes à envahir le corps. Même si la dépouille aurait mérité un soin complet aux yeux d'Ambroise, la famille avait décidé de limiter l'intervention au strict nécessaire, les funérailles étant prévues pour le lendemain. Il vérifia l'identité du défunt puis enfila ses habits de protection pour procéder à la toilette. Le jeune homme n'eut aucun mal à casser la rigidité cadavérique, celle-ci n'ayant pas trouvé beaucoup de muscles pour y planter les griffes. Maître Thanato aimait citer ce proverbe tchèque lorsqu'il se trouvait en présence d'un cadavre décharné : « Là où il n'y a rien, même la mort ne peut rien prendre. » Il nettoya les yeux et le nez avant de mécher les orifices. Il remit le dentier en place, sutura la peau du cou à l'emplacement de la trachéo et posa les couvre-œil. Le point de bouche terminé, Ambroise lava le défunt de la tête aux pieds à l'aide d'une solution désinfectante. Du bout de l'index, il enduisit de crème hydratante l'intérieur des lèvres. L'homme ne pesait pas plus de quarante kilos et l'habillage ne lui prit que quelques minutes. La peau mate et foncée ne nécessitait aucun maquillage particulier. Un léger coup de peigne suffit à plaquer les rares cheveux sur le haut du crâne. Il glissa le coussin sous le cou du mort afin de rehausser la tête. Vêtu d'un beau costume gris anthracite, cravaté, le cadavre squelettique qu'il avait sous les yeux en arrivant avait retrouvé en moins d'une demi-heure un semblant d'humanité. Il remonta le drap sur la poitrine. Ne connaissant pas la religion du défunt, Ambroise se contenta de poser les mains au-dessus de l'étoffe sans les joindre. Satisfait, le jeune homme rangea ses affaires et repassa saluer les maîtres du lieu et leur dire qu'ils pouvaient remonter le corps au salon de présentation. Il trouva Bouba seul, dégustant une part de tarte en lisant le dernier *Canard enchaîné*.

— J'en ai terminé. Tu salueras Abel pour moi.

— Tu reviens quand tu veux, t'es ici chez toi, jeune sorcier blanc ! Et n'oublie jamais ça : seuls les poissons morts suivent le courant !

Le rire généreux de Boubacar résonna comme dans une cathédrale et suivit Ambroise jusque dans la cabine de l'ascenseur.

12

Comme tous les 18 septembre depuis maintenant quatre ans, Ambroise avait rendez-vous avec Isabelle De Morbieux. Le Clos de la Roselière se trouvait sur les hauteurs boisées situées au nord de la ville. Après plusieurs kilomètres d'une route en lacets, il engagea son fourgon sur le chemin bordé d'arbres qui menait à la résidence. La bâtisse cossue paressait sous le soleil de l'après-midi au milieu des pelouses soigneusement entretenues. Çà et là, des bancs noyaient leur marbre blanc dans l'ombre de chênes majestueux. L'expression « maison de retraite » n'était jamais évoquée en ce lieu. Elle devait faire partie des mots proscrits car susceptibles de rappeler aux pensionnaires leur statut de vieillards arrivés au bout de leur vie. Dans ce genre d'endroit, un matelas anti-escarres était rebaptisé accessoire de confort. Faire oublier le mouroir derrière l'élégance et les dorures d'une résidence de luxe, tel était le but affiché de La Roselière. Tout ici tendait à donner l'illusion d'un avenir paisible au milieu d'un cadre enchanteur, entouré d'un personnel à la fois corvéable et compétent, avec pour unique bruit le gazouillis des nombreux oiseaux nichant dans les bosquets du parc. Un magnifique trompe-l'œil, pensa Ambroise en pénétrant dans le hall. Il crut lire une même résignation fatiguée sur la plupart des visages des pensionnaires qui croisèrent son chemin. Malgré l'épaisseur des portefeuilles, malgré les efforts fournis et les moyens engagés pour faire reculer l'échéance, nul doute que la décrépitude finissait par survenir ici comme ailleurs. Dans la fraîcheur des draps propres et sous les hauts plafonds, au milieu du va-et-vient des filles de salle et des infirmières de service, dans le doux ronronnement des climatiseurs en été et le souffle tiède des bouches de chauffage en hiver, les êtres finissaient par s'affaisser sur eux-mêmes tandis que leurs sens allaient se diluant dans le moelleux des moquettes.

Il ignora la cabine d'ascenseur et gravit d'un pas léger les marches du large escalier qui conduisait dans les étages. Les chambres du deuxième exposèrent à sa vue leurs appellations fleuries. Iris, Glaïeul, Pensée, Jonquille, Edelweiss, Hibiscus. Le jeune homme se demandait toujours, non sans sourire, s'il existait dans le bâtiment des pièces portant le nom de Chrysanthème, Pissenlit ou Ortie. Orchidée se trouvait tout au bout du vaste corridor. Il frappa deux coups brefs. Une voix claire l'invita à entrer. La colonie comptait dans ses rangs, outre quelques centenaires, une majorité de nonagénaires. Isabelle De Morbieux était de ceux-là. Ambroise se souvenait de la première fois qu'il avait passé ces portes, quatre ans plus tôt. « Pas besoin de matériel, lui avait précisé Roland Bourdin, cliente vivante. Une *Ôdela Plus*, avait-il ajouté, la voix empreinte de respect. Elle a demandé à vous voir, ne la décevez pas. Des contrats comme celui-là, vous savez qu'on n'en décroche pas tous les jours. » L'*Ôdela Plus*, la seule formule pour laquelle Roland Bourdin daignait user d'articles définis et d'adjectifs plus que de raison. Cette Rolls Royce des contrats mortuaires représentait l'offre idéale pour des personnes comme Isabelle De Morbieux qui souhaitaient tout organiser de leur vivant afin de ne pas laisser à d'autres le soin de gérer l'ultime voyage. Une formule post mortem haut de gamme clés en main, avec des prestations funéraires à la hauteur de son prix exorbitant. Essence de bois noble pour le cercueil, raffinement des soieries du capiton, diffusion de musique et chants grégoriens à profusion pendant l'exposition en chambre mortuaire, réalisation de la maquette de faire-part et tirage de trois cents exemplaires sur papier satiné grammage 200 g/m^2, fourniture d'une volumineuse couronne à base de fleurs fraîches, gravure à l'or fin sur la plaque mortuaire, mise à disposition de deux ciboires finement ciselés nantis de leurs cierges, lâcher de colombes au sortir du cimetière, livre de condoléances avec pages en papier vélin et couverture en peau d'agneau et, cerise sur le gâteau, soin complet de conservation du corps réalisé par un professionnel expérimenté. Ainsi, Isabelle De Morbieux avait-elle demandé à rencontrer le thanatopracteur chargé de l'opération. Ambroise avait découvert un esprit alerte dans un corps fatigué. À quatre-vingt-dix ans passés, la vieille dame avait perdu son maintien aristocratique et ne se déplaçait plus qu'à l'aide d'un déambulateur, voire d'un fauteuil roulant lorsqu'il s'agissait d'aller dans le parc, mais son visage avait conservé une étonnante fraîcheur et le voile que le temps a pour fâcheuse habitude de déposer sur les yeux des anciens n'avait pas encore altéré chez elle l'éclat de ses prunelles. Mais le plus surprenant était sa voix, une voix étrangement claire dont on avait du mal à imaginer qu'elle puisse jaillir de ce corps fragile. Elle n'avait pas caché à Ambroise son étonnement en découvrant sa jeunesse, lui avouant s'être attendue à rencontrer un de ces vieux professeurs en pantalon de velours plutôt qu'un gamin aux allures d'étudiant en médecine à peine pubère, rien du professionnel expérimenté mentionné dans le contrat. Il l'avait rassurée sur ses compétences, lui affirmant que si Bourdin et Fils l'avait chargé de cette mission lui et personne d'autre, c'était principalement pour son savoir-faire reconnu, omettant d'avouer que c'était aussi et surtout parce qu'il était le seul disponible au moment de l'appel du marchand de pompes funèbres. Isabelle De Morbieux s'était malgré cela montrée soupçonneuse quant à sa capacité à pouvoir s'occuper correctement de son corps le moment venu. Elle l'avait assailli de questions dans le but évident de tester ses aptitudes professionnelles. Quelque peu excédé, Ambroise avait fini par lui servir la célèbre formule qu'avait coutume de déclamer Maître Thanato du haut de son estrade à ses élèves : « Aucun client ne s'est jamais plaint de moi de son vivant. » Contre toute attente, la vieille femme avait explosé de rire.

De ce moment où la glace s'était trouvée rompue, l'échange s'était poursuivi de la plus amicale des manières. Isabelle De Morbieux attendait de lui qu'il procède comme un artiste avec son modèle. « Je veux que vous appreniez mes rides de mon vivant, lui avait-elle avoué. Que vous vous imprégniez de moi maintenant afin de me restituer au mieux le jour venu. » Elle lui avait dévoilé les produits de maquillage qu'elle utilisait, sa manière de se coiffer. Puis lui avait raconté sa jeunesse, son existence de femme avant que l'automne ne vienne flétrir ses chairs et ses sens. Son mari parti trop tôt, sa fille qui venait tous les dimanches et l'emmenait manger en ville, ses petits-enfants et même arrière-petits-enfants dont les dessins colorés couvraient tout un mur de la chambre. Une heure et demie plus tard – le temps d'un soin avait pensé Ambroise –, elle avait pris congé du jeune homme, non sans manquer de lui faire promettre de revenir l'année suivante, même jour, même heure, moyennant paiement. La vieille femme prenait rendez-vous avec son thanatopracteur comme elle le faisait avec son cardiologue, son ophtalmologue, son pédicure ou son dentiste. « Pour la visite de contrôle », avait-elle ajouté, espiègle.

Ainsi, à chaque anniversaire de la nonagénaire, Ambroise pénétrait dans la chambre Orchidée sur les coups de quinze heures. Isabelle De Morbieux l'attendait repliée dans son fauteuil avec, posée sur ses cuisses amaigries, une bible volumineuse. « Je n'ai jamais rien trouvé de mieux comme roman que celui-là, se justifia-t-elle en refermant l'ouvrage. De l'action, du suspense, de l'intrigue, du fantastique, des méchants, des gentils, tout y est », avoua-t-elle, de l'admiration dans la voix. Ambroise sourit. Cette femme était comme ces très vieux mirabelliers qui, malgré un tronc fendillé de toute part et une écorce cassante et desséchée, continuent de renaître tous les printemps pour donner les meilleurs fruits l'été venu. Elle s'enquit de sa santé. Il lui demanda en retour comment s'étaient passés ces douze derniers mois. « Comme un long hiver au coin du feu », répondit-elle. Ils n'évoquaient plus guère ni l'un ni l'autre la raison initiale de la visite. La vieille femme se contentait de montrer à Ambroise l'apparition d'une nouvelle ride, de lui exposer la dernière tache de vieillesse qui avait pris naissance à droite de son front, évoquait avec lui la manière d'ajouter un peu plus de fond de teint à cet endroit pour masquer la marque indélébile. Souvent, Ambroise n'était qu'oreilles, la laissait se raconter. « Je m'ennuie, lui avoua-t-elle. L'ennui peut être une souffrance, vous savez. Ça s'installe sournoisement avant de venir hanter vos jours et vos nuits comme une douleur sourde qui ne vous quitte plus. Ça vous lance par moments à vous faire pleurer avant de refluer, ça va, ça vient, mais au final, vous êtes obligé de faire avec parce que l'ennui, quand on a quatre-vingt-quatorze ans, n'est pas le même que lorsqu'on en a vingt. Il a de la place pour s'installer, se faufile entre nos souvenirs et nos regrets, remplit les vides. C'est une noyade qui ne prend fin qu'avec le dernier souffle. Mais de savoir que je me trouverai entre de bonnes et belles mains une fois le moment venu, la mort me fait beaucoup moins peur, vous savez. Allons, assez parlé de moi et buvons plutôt à votre jeunesse et à votre avenir, jeune homme », conclut la vieille femme en désignant du menton le petit frigo qui ronronnait en permanence dans un coin de la chambre. Chaque année se déroulait le même rituel de la bouteille de Clairette de Die et de l'assiettée de macarons. Ils trinquèrent, flûte contre flûte, et grignotèrent en silence les biscuits croustillants. La vie du dehors s'engouffrait par la fenêtre entrouverte en un gazouillis joyeux. Au moment de partir, Isabelle De Morbieux garda la main du jeune homme entre ses doigts osseux un peu plus longuement qu'à son habitude.

— Je suis très heureuse de savoir que ce sera vous, Ambroise.

— Moi quoi ? rétorqua-t-il curieux.

— Le dernier homme à me voir nue et à s'occuper de mon corps.

Il n'y avait rien de graveleux dans ces propos. Ils étaient juste l'expression d'un soulagement sincère. Pour la première fois, il décela un changement dans la voix de la vieille femme. C'était la voix quelque peu éteinte d'un être déjà en partance.

13

— Debout les amoureux, lança gaiement Manelle tandis qu'elle entrouvrait les lourdes tentures qui obturaient la fenêtre pour laisser passer un rai de lumière. La jeune femme pénétrait toujours dans la chambre des époux Fournier avec cette formule toute prête. Car pour être amoureux, Hélène et Aimé Fournier l'étaient restés comme aux premiers jours de leur mariage. Et s'ils faisaient lit à part depuis plus d'un an, ils avaient toutefois insisté pour rester dans la même chambre, côte à côte. Un lit médicalisé avec potence pour madame, un lit de jeune homme pour monsieur. Manelle attendit que la vieille femme ait fini de se redresser à l'aide de la barre de trapèze avant de la faire pivoter lentement en position assise.

— Je vous apporte votre déambulateur? questionna la jeune femme, même si elle connaissait déjà parfaitement la réponse.

— Mon déambulateur, c'est lui, répliqua Hélène Fournier en contemplant avec tendresse l'homme de sa vie qui, comme tous les matins, contournait le lit pour lui apporter le soutien de son bras.

Manelle s'activa à préparer le petit déjeuner. L'odeur du pain grillé emplit bientôt la cuisine. Elle aimait débuter la journée au service de ce couple attachant. Hélène Fournier était d'un optimisme à toute épreuve. « On a signé il y a cinquante-huit ans pour le meilleur et pour le pire, et même quand on croit qu'il ne reste plus que le pire, on peut encore trouver un peu du meilleur, se plaisait-elle à répéter. Suffit juste de fouiller. » Le couple se maintenait à flot en se cramponnant l'un l'autre. Elle était sa tête, il était ses jambes, un tandem brinquebalant qui, vaille que vaille, traversait les jours. Hélène parlait pour deux, lisait, regardait la télé, mitonnait des petits plats, gérait les papiers, tenait les comptes, autant de choses que sa mobilité réduite ne l'empêchait nullement de faire. Aimé, lui, somnolait la plupart du temps, malgré son épouse qui s'échinait à le maintenir éveillé en lui demandant de multiples services au cours de la journée. Aller chercher des pommes de terre au cellier. Ranger le chéquier dans le tiroir du bureau. Lui ramener son livre resté sur la table de nuit. Lui apporter un peigne de la salle de bains. L'aider à aller aux toilettes. Venir lui faire un bisou. « C'est pour son bien, affirmait-elle à la jeune femme. Le corps est encore bon vous savez, c'est la tête qui est usée. Il dormirait tout le temps si je le laissais faire et il finirait par ne plus se réveiller », ajoutait-elle avec sérieux. Manelle déposa les deux piluliers devant Hélène qui, d'une pichenette du pouce, ouvrit les couvercles correspondant au jeudi. « Le pilulier semainier est l'agenda des vieux, souligna la vieille femme tout en alignant sur la nappe devant son Aimé les quatre cachets du matin en les énumérant : le bleu pour ta tension, le violet pour ton cholestérol, le vert pour ta circulation et le jaune pour ton urée. Il ne te manque plus que l'orange et l'indigo et tu auras toutes les couleurs de l'arc-en-ciel, mon pauvre chéri », constata-t-elle tristement. Elle avait droit pour sa part à trois cachets qu'elle avala avec une grande rasade de café au lait. Elle nappa de confiture de groseille une première tartine et la glissa devant son mari. Manelle profitait des dix minutes que durait le petit déjeuner pour refaire les lits et aérer la chambre. Dix minutes pendant lesquelles la cuisine se remplissait des bruits de lapement et de succion émis par les époux Fournier engloutissant avec application les tranches de pain couvertes de gelée vermillon.

Avant de passer à la toilette, Hélène choisissait avec soin les vêtements du jour. Pour elle-même et pour Aimé. Un rituel auquel se pliait l'aide à domicile avec la jubilation d'une petite fille jouant à habiller ses poupées. Si la vieille femme était coquette, c'était aussi et surtout pour ne pas sombrer dans le laisser-aller. Le laisser-aller était l'ennemi. « Un sournois qui a vite fait de s'installer si on n'y prend pas garde, avait-elle avoué un matin à Manelle. On commence par espacer le coiffeur, on délaisse le maquillage, on laisse pousser les ongles, on abandonne l'épilation, et on finit par ressembler à plus rien. » Elle en avait vu, Hélène Fournier, des amies qui avaient lâché prise un beau jour pour glisser sans s'en rendre compte dans la négligence, avant de disparaître corps et biens. Pendant qu'Aimé s'éclipsait au salon pour s'avachir dans son fauteuil et attaquer le premier somme de la journée, la jeune femme ouvrit en grand les portes de l'armoire devant une Hélène concentrée. Rayonnages et penderie de droite, les vêtements de la vieille dame, rayonnages et penderie de gauche, ceux de son époux. Côte à côte, comme pour les lits.

— Mettez-moi le chemisier bleu, celui avec les fleurs, il va faire beau aujourd'hui. Avec le pantalon beige.

— Je vous mets aussi le foulard bleu pâle? suggéra Manelle.

— Non, ça ferait trop ton sur ton avec le chemisier. Prenez plutôt l'orangé. Et pour Aimé, mettez-lui le jean. Je sais qu'il n'aime pas ça mais ça lui donne un air plus jeune. Avec la chemise blanche, ce sera parfait. Et prenez-lui aussi le gilet gris souris, il a toujours froid.

Lorsque tout fut prêt, Hélène envoya Manelle chercher Aimé pour la toilette. La vaste douche à l'italienne installée à grands frais lorsque la vieille dame avait vu l'état de ses jambes empirer les attendait. Les époux Fournier prenaient leur douche ensemble, elle assise sur le siège rabattable, lui debout à ses côtés. Ils se savonnaient mutuellement, parcourant à coups de gants de toilette ces corps qu'ils connaissaient sur le bout des doigts, s'aspergeaient, se shampouinaient, riaient parfois. Lorsque monsieur eut terminé, la jeune fille rentra dans la salle d'eau pour s'occuper de l'habillage de madame. Malgré l'expérience, l'enfilage des mi-bas de contention de couleur chair donnait toujours un peu de fil à retordre à l'auxiliaire de vie. Elle se dit que le type qui avait inventé ça n'avait jamais dû en enfiler à une mamie de plus de quatre-vingts ans avec des chevilles raides comme du bois et des mollets larges comme des cuisses. Dix minutes plus tard, pomponnée et maquillée comme pour un premier bal, Hélène Fournier ressortait au bras de Manelle, prête à attaquer une nouvelle journée. Du salon, leur parvinrent les lourds ronflements d'Aimé parti pour un temps dans les profondeurs abyssales de son esprit fatigué, avant que sa tendre épouse ne le ramène à la vie pour qu'il lui rapporte un litre de lait du cellier ou le magazine télé à la page des mots croisés.

14

Ambroise eut un mouvement de recul en découvrant la boule de poils roux lovée entre les mollets du défunt et qui dardait vers lui un œil courroucé. Le chat borgne se cramponna de toutes ses griffes au pyjama du mort lorsque l'on tenta de le déloger de sa place. Il fallut agiter un balai et frapper des mains pour que la bestiole daigne enfin quitter les lieux. Le matou s'enfuit de la pièce en crachant et sifflant avant de filer vers la cuisine pour disparaître dans le jardin par la porte-fenêtre entrouverte. Personne parmi les membres de la famille présents ne souhaitait récupérer ce vieux matou galeux de plus de seize ans d'âge.

Comme souvent, la mort du maître scellait le sort du chat. Rendez-vous avait d'ores et déjà été pris auprès du véto du coin pour le faire piquer dès le lendemain des funérailles. Ambroise se glissa dans sa combinaison et s'attela à pratiquer les soins. Il fallut moins d'une heure quinze au jeune homme pour traiter le corps. Après un dernier coup de peigne sur la chevelure clairsemée, il rangea son matériel, ôta gants, masque et combinaison, chargea la voiture et prit congé. Ce soir, la troupe jouait. Le temps de prendre une douche, d'avaler le morceau que Beth lui aurait d'office mis dans le bec et il filerait en direction du village où avait lieu la représentation. Ne pas oublier de recharger le vanity en flacons de lait démaquillant. Il en était là de ses réflexions lorsque la chose jaillit d'entre ses pieds tandis qu'il s'arrêtait au feu rouge. Le matou poussa un miaulement rauque, bientôt recouvert par les cris d'Ambroise lorsque l'animal entreprit d'escalader sa jambe droite en plantant ses griffes au travers du pantalon. Le jeune homme attrapa le chat par la peau du cou et l'arracha de son mollet avant de le jeter sur le tapis de sol côté passager. Ramassée sur elle-même, les oreilles couchées en arrière, la bestiole dardait vers lui son œil borgne. De multiples cicatrices zébraient son pelage roux. Une longue balafre courait en travers de sa gueule, de l'oreille gauche jusqu'au museau, dessinant un rictus moqueur. La queue, coupée aux deux tiers, donnait à l'ensemble du corps efflanqué une impression de déséquilibre. Le poil terne et peluché n'engageait pas à la caresse. Un ancien combattant qui avait dû participer à toutes les guerres de son quartier, jugea Ambroise. Le jeune homme ne savait que faire. Le ramener à son point de départ ? Le matou n'avait pas survécu à autant de combats pour finir entre les mains d'un type en blouse blanche qui allait lui injecter un ticket aller simple pour rejoindre son maître. L'abandonner lâchement en le jetant hors de la voiture et laisser le destin s'occuper de lui ? Il ne se le pardonnerait pas. Le coup de klaxon qui retentit dans son dos tira Ambroise de ses pensées. Il rangea la fourgonnette sur le côté et, sans vraiment réfléchir, s'empara de l'une des malles qu'il entreprit de vider de son contenu, enfila plusieurs paires de gants, s'arma de courage et saisit le chat qu'il glissa dans la valise avant de rabattre prestement les rabats de cuir. Insensible aux longues plaintes rauques qui montaient de la mallette, Ambroise reprit la route. Il s'arrêta à la première grande surface rencontrée. Pendant de longues minutes, il parcourut des yeux le rayon réservé à la nourriture pour chat sans parvenir à faire son choix. Le linéaire de près de cinq mètres de long sur deux de haut déclinait boîtes et croquettes à l'infini. Au poulet, au bœuf, aux légumes, au poisson, en morceaux, en pâté. Il se décida finalement pour les croquettes. Les félins présents sur les emballages étaient tous plus beaux les uns que les autres. Des fourrures dans lesquelles on ne demandait qu'à plonger les mains. Des gueules précieuses de bêtes à concours, des stars à poils bien loin du spécimen dont il venait de s'octroyer la charge. À chaque paquet son type de chat. Stérilisés, chatons, enveloppés, d'appartement. Rien sur les matous borgnes et miteux. Il attrapa le sac de croquettes conseillées pour les chats âgés. Ambroise balança dans le caddie le premier bac à litière à portée de main, ajouta deux sacs de granulés hyper absorbants et parfumés façon senteurs boisées et se dirigea vers la caisse.

Vingt minutes plus tard, il franchissait la porte de l'appartement et libérait sans plus attendre le chat de sa geôle de fortune. Comme le craignait le jeune homme, l'accueil que réserva Beth au matou prit la forme d'une sentence ferme et définitive qui dut s'entendre dans tout l'immeuble :

— Pas de griffu sous mon toit !

— Mais je croyais que c'était les chiens que tu n'aimais pas, rétorqua le jeune homme.

— L'un n'empêche pas l'autre, Ambroise Larnier.

Lorsque Beth l'appelait par son nom, cela n'annonçait rien de bon.

— Et puis tu as vu cet œil mauvais. Et ce sourire sournois.

— Enfin tu vois bien que c'est une cicatrice.

— Cicatrice peut-être mais en attendant il a vraiment une sale tête.

— Ce n'est pas toi qui m'as toujours mis en garde contre les délits de sale gueule, Mamie ?

— Reconnais quand même qu'elle n'inspire pas le câlin, ta gueule cassée. Et puis arrête de m'appeler Mamie, tu sais bien que j'ai horreur de ça.

— Quelques jours, s'il te plaît, juste quelques jours, le temps de trouver une solution.

— Je ne vois vraiment pas quelle solution tu vas pouvoir lui trouver avec le physique qu'il a. Non mais ce poil, tu as vu ce poil ! Jamais vu un griffu pareil.

Totalement étranger à cette discussion qui le concernait pourtant au plus haut point, le griffu en question finissait d'avaler avec application l'assiettée de croquettes qu'Ambroise lui avait servie en arrivant. Le jeune homme installa la litière dans le couloir sous le regard désapprobateur de Beth, prit le temps de laver ses instruments et fila à la douche. La vieille femme le cueillit à la sortie.

— En plus, je ne serais pas surprise qu'elle héberge des puces dans ce qui lui sert de fourrure, ta bestiole !

— Alors primo, ce n'est pas MA bestiole. Ce n'est tout de même pas ma faute si le chat a préféré ma voiture et la liberté plutôt que la piquouse définitive que lui réservait le véto. Deuxio, demain aux premières heures, je cours acheter le traitement anti-puces qui va bien et je traite notre ami, promis.

— Et qu'il ne s'avise pas d'essayer de marquer son territoire en balançant des giclettes aux quatre coins de l'appartement, je n'y survivrais pas, et lui non plus !

— Écoute Beth, on en reparle demain. Il faut que je file, ils comptent sur moi et je n'ai pas envie d'arriver en retard. Je ne rentrerai pas avant une heure du matin. Un far ou un kouign-amann ? demanda Ambroise en attrapant le plat couvert d'une feuille d'aluminium et encore chaud.

— Une tarte aux pommes, c'est tout ce que tu mérites.

Il embrassa une Beth plus renfrognée que jamais et abandonna la vieille femme et le matou plongés dans un face-à-face silencieux.

15

Ce matin, il n'y eut pas de « ma tourterelle » ni de « ma petite fée du logis » pour saluer l'arrivée de Manelle. Elle trouva Samuel prostré sur une chaise à la cuisine, le regard absent, avec, devant lui, cette grande enveloppe bleue et, posé dessus, le résultat de ses analyses. Des grammes et milligrammes par litre, des pourcentages, des unités, des graphiques, des courbes colorées. Sur la table s'étalaient les images de son cerveau décliné à l'infini. Sur plusieurs des clichés, l'on pouvait voir une tache plus claire qui dessinait comme l'œil d'un cyclone au milieu de la grisaille. Sans être spécialiste, on comprenait tout de suite que cette vilaine tache n'avait rien à faire là, qu'elle était de trop dans le paysage. Manelle écarta délicatement l'enveloppe avant de saisir les deux mains du vieil homme. Pendant près de dix minutes, elle le rassura en lui expliquant que tout ça ne voulait pas dire grand-chose, qu'il fallait attendre de voir le spécialiste pour savoir ce qu'il en était vraiment. Samuel lui expliqua la douleur qui restait à présent en permanence prisonnière de sa boîte crânienne. Comment, même la nuit, il la savait là, tapie derrière son front, à l'affût, attendant que la lumière du jour vienne assaillir ses rétines pour se déployer de nouveau. Il raconta comment l'horrible tunnel de l'IRM avait entièrement avalé son corps et puis, au sortir de l'examen, les mots de l'homme en blanc, tous ces mots qu'il n'avait pas compris et qui s'étaient mélangés dans sa tête. Manelle imagina le vieil homme ressortant de cette épreuve hagard et perdu avec son enveloppe bleue à la main, montant à bord du taxi ambulance pour être ramené à la maison. « Quand devez-vous retourner chez le neurologue ? » demanda-t-elle. « Lundi après-midi, à quinze heures. Il faut que je commande un VSL », ajouta le vieil homme d'une voix atone. « C'est moi qui vous emmène », répliqua la jeune femme sur un ton sans appel. Et tandis qu'elle rangeait les papiers, elle put apercevoir le nom qui s'étirait en lettres grasses au bas de la feuille, comme une sentence : glioblastome multiforme.

16

La clé du funérarium se trouvait sous le pot de fleurs posé sur le rebord de la fenêtre, côté cour, comme lui avait annoncé par téléphone l'employée des pompes funèbres. La femme lui avait précisé que les filles du défunt apporteraient les vêtements vers quatorze heures. « Pacemaker à retirer », avait-elle ajouté avant de raccrocher. Encore une adepte du minimalisme langagier, avait pensé Ambroise en souriant. Il pénétra dans le local et se dirigea vers les tiroirs réfrigérés. Le défunt dont il avait la charge se trouvait dans le deuxième compartiment. Le jeune homme tira le plateau à glissière, ouvrit le sac mortuaire et arracha le papier scotché sur la porte du casier afin de vérifier l'identité de la personne. Serge Condrieux, soixante-dix-neuf ans. Décédé dans la nuit pendant son sommeil. La mort avait souvent la fâcheuse habitude de vider les visages avant de les empâter pour les remodeler à sa façon. Dans le cas de Serge Condrieux, elle n'en avait pas eu le temps. Son visage était apaisé, sans aucun signe de souffrance. L'illusion d'une belle mort, comme s'il était possible qu'une mort, quelle qu'elle soit, puisse être belle. Ambroise installa la dépouille sur le chariot avant de l'emporter jusqu'à la salle de soins. Tandis qu'il cassait la rigidité cadavérique, il lut l'histoire du corps dans les stigmates que la vie avait déposés sur les chairs. Au-dessus de l'aine, les traces anciennes d'une appendicectomie. À la base du cou, la cicatrice à peine visible d'une intervention sur la thyroïde. La marque caractéristique d'une vaccination BCG en haut du bras gauche. L'auriculaire de la main droite amputé de deux phalanges n'était plus qu'un moignon rosâtre, vestige d'un ancien accident. Au toucher, même au travers des gants, Ambroise put sentir les callosités des paumes. Des mains de manuel, jugea le jeune homme. Teint hâlé et rides profondes racontaient une vie au grand air. Le renflement de l'épiderme sous la clavicule gauche lui indiqua l'emplacement du pacemaker. Le thanatopracteur incisa la peau afin de procéder au retrait de l'appareil qui rejoignit les trois autres stockés dans la boîte en plastique qu'il vidait une fois par semaine dans le collecteur prévu à cet effet. Pas de pacemaker dans l'au-delà, telle était la règle. Que ce soit enfer ou paradis, crémation ou mise en terre, les piles au lithium n'y avaient pas leur place. Des bruits de pas retentirent dans le funérarium. Ambroise abandonna un temps le soin pour aller à la rencontre des deux femmes d'une cinquantaine d'années qui remontaient le couloir. Bien que fatigués, leurs visages n'étaient pas encore marqués par le chagrin. Dans les heures qui suivaient le décès, l'action empêchait parfois les proches de contempler le vide de l'absence. Prévenir la famille, s'occuper des préparatifs avec les pompes funèbres, convenir avec le prêtre du jour et de l'heure de la cérémonie étaient autant de choses à faire et à penser qui repoussaient pour un temps l'arrivée des larmes. Tandis qu'elles lui remettaient les vêtements, il les rassura, dit qu'il allait prendre le plus grand soin du corps de leur père. Celle qui paraissait la plus jeune des deux prit la parole.

— Nous aimerions beaucoup qu'il porte ceci, dit-elle en sortant de sa poche la boule de plastique rouge.

Incrédule, Ambroise contempla l'objet de la taille d'un abricot que la femme venait de lui glisser entre les mains. C'est seulement lorsque sa sœur lui montra la photo qu'il comprit. L'homme y apparaissait grimé en clown de la tête aux pieds. Minuscule chapeau rose, yeux et bouche cernés de maquillage blanc, nœud papillon démesuré, costume multicolore et immenses chaussures jaunes, sans oublier l'incontournable nez rouge. Alors elles se mirent à parler, l'une et l'autre. À raconter comment, alors qu'elles étaient enfants, leur père tous les 25 décembre apportait les cadeaux non pas déguisé en Père Noël mais en Auguste, un Auguste fantasque qui les faisait pleurer de rire. Comment il avait poursuivi cette joyeuse tradition, Noël après Noël, avec ses petits-enfants et arrière-petits-enfants, améliorant d'année en année sa prestation sous les cris enthousiastes des mômes, jusqu'à être rebaptisé par toute la famille Papi Auguste. Ambroise les écouta s'épancher, revivre les souvenirs entre larmes et rires.

— On aimerait beaucoup le voir avec son nez rouge, vous comprenez, conclut l'aînée.

— Et ses vêtements ? osa le jeune thanatopracteur. Vous n'auriez pas souhaité le voir vêtu de son costume d'Auguste et maquillé comme sur votre photo ?

— On ne pensait pas que c'était possible, s'enthousiasmèrent en chœur les filles du défunt. Nous avons son déguisement dans la voiture. Nous voulions le déposer dans le cercueil avec lui au moment de la mise en bière mais si vous pouvez lui passer et le maquiller, ce serait merveilleux, poursuivit la cadette.

L'aînée revenait déjà avec le sac contenant le costume et les accessoires de l'Auguste. Ambroise s'en empara, rassura une dernière fois les deux femmes et les invita à repasser d'ici une bonne heure, le temps pour lui de finir le soin et de procéder à l'habillage. Sitôt le traitement bactéricide terminé, le jeune homme pratiqua les dernières sutures et toiletta le corps avant de le vêtir. Il posa le plastron par-dessus le maillot de corps, glissa les jambes du défunt dans le pantalon trop court et anormalement large, enfila les chaussettes à rayures qui montaient jusqu'en haut des mollets, laça les chaussures qui béaient à leurs extrémités, souleva le buste du mort le temps d'attacher les bretelles et de lui passer la veste à pois multicolores. L'enfilage des gants blancs lui donna du fil à retordre. Puis Ambroise sortit la trousse de maquillage et, muni de la photo, grima le défunt. Il joua du pinceau rond pour déposer le fard à joues, usa de l'éponge pour blanchir le tour de la bouche et des yeux, crayonna de faux sourcils noirs, redessina les lèvres, les étirant en un sourire hilare. Il vissa la perruque orange sur la tête du mort, fixa autour du cou l'énorme nœud papillon, glissa la grosse marguerite de plastique à la boutonnière de la veste, déposa le petit chapeau rose sur la poitrine, à côté des mains croisées. Alors, délicatement, Ambroise saisit la boule de plastique rouge entre pouce et index et la fixa sur le nez de Serge Condrieux alias Papi Auguste. Le résultat était saisissant. Il replia la housse, arrangea la parure de velours autour du corps, glissa le coussin sous la tête du défunt et roula le chariot jusqu'au salon funéraire. Il déposa le cadre et la photo sur le guéridon placé à droite du mort. Jamais le lieu n'avait connu une si grande explosion de couleurs. Contrastant avec la semi-pénombre qui baignait l'endroit, le clown semblait luire de l'intérieur. Ambroise se changea et alla chercher les filles du défunt. Elles ne purent retenir leurs larmes en contemplant leur père dans son habit de lumière. Des larmes qu'Ambroise accueillit comme la récompense d'un travail bien fait. Les deux femmes le remercièrent chaleureusement. « C'est la dernière image que l'on voulait conserver de lui, vous comprenez », se justifia l'aînée. Une bien belle image, admit Ambroise. Au moment de partir, il contempla une dernière fois le défunt. Un défunt qui rentrait, hilare, dans l'éternité.

17

Beth sauta sur son petit-fils lorsqu'il revint du travail sans même lui laisser le temps d'ôter son manteau.

— Il aime ça, Ambroise ! s'exclama-t-elle euphorique. Tu te rends compte, il aime ça !

— Quoi, il aime ça ?

— Le far, il aime le far !

— Mais qui aime le far ?

— Le griffu, il aime le far. Il adore même.

Ambroise sourit. Beth n'avait pas dit « ton » griffu mais « le » griffu, signe annonciateur d'un début d'acceptation. Depuis que le matou partageait avec eux l'appartement, il refusait toute caresse et passait le plus clair de son temps terré sous les meubles. Quant à la nourriture, il se contentait d'avaler mécaniquement quelques croquettes. Même la boîte de thon qu'avait ouverte Ambroise la veille au soir n'avait pas donné de résultats convaincants. Après avoir lapé une partie du jus, le chat avait dédaigneusement ignoré le mets royal. La vieille femme présenta à son petit-fils le plateau sur lequel ne subsistait plus qu'un malheureux morceau rongé de toute part.

— Regarde-moi ça ! Je l'avais laissé refroidir sur la table de la cuisine comme je le fais toujours. C'est le bruit qui m'a alertée. Le griffu était comme fou, jamais vu ça. Il en engouffrait de pleines bouchées sans respirer, pruneaux compris. J'ai fini par lui retirer sinon il le terminait. Viens le voir, dit-elle en tirant du bras le jeune homme jusqu'au salon.

Étalé de tout son long sur le canapé, le matou ronflait, repu, exposant aux regards sa panse distendue. Après quelques secondes d'observation, Beth se retira sur la pointe des pieds en entraînant Ambroise. Celle-là même qui aurait fait déguerpir à coups de balai l'animal du moelleux des coussins à peine quelque temps plus tôt se montrait à présent des plus prévenantes.

— Ça va faire près de deux heures qu'il est là. Laissons-le dormir, veux-tu ? C'est que ça ne se digère pas n'importe comment, un far. Il y a des temps à respecter, des paliers de décompression stomacale à suivre. La nature a parfois tendance à se rebeller face à une telle intrusion.

Une demi-heure plus tard, l'animal dormait toujours entre Ambroise et Beth qui picoraient le contenu d'un plateau télé. La sonnette retentit à l'instant où David Pujadas et sa tête de premier de la classe envahissaient l'écran du téléviseur. Le matou ouvrit son œil valide, s'étira longuement avant de se laisser choir sur le sol pour aller se désaltérer. Ambroise et Beth se regardèrent en soupirant. La manière de sonner ne laissait planer aucun doute sur l'identité de l'importun. Le coup de sonnette était à chaque fois si bref que l'on pouvait se demander si on ne l'avait pas rêvé. « Ça fait déjà deux fois qu'elle vient cette semaine », gémit le jeune homme en s'arrachant du canapé. « Qu'est-ce que tu veux que je te dise ? » répondit la vieille femme en se dirigeant d'un pas résigné vers la porte tandis que son petit-fils s'enfuyait vers sa chambre. Sur le palier, Odile Chambon piaffait d'impatience en piétinant le paillasson de ses pantoufles roses. Habitant le rez-de-chaussée, l'héritière des établissements horticoles Chambon, dont le célèbre slogan « Du Beau, du Bon, du Chambon » ornait dans les années 1970 les panneaux publicitaires de la région, ne sachant que faire de ses journées, avait fini au fil des ans par s'octroyer le rôle de concierge. Les occupants de l'immeuble toléraient cette usurpation de fonction avec bienveillance, d'autant plus que la demoiselle faisait cela gracieusement, dans le seul but d'occuper le temps libre dont elle disposait. Elle veillait à tout, contrôlait entrées et sorties, gérait les poubelles, ventilait le courrier, prenait les messages s'il le fallait, refoulait sans ménagement les témoins de Jéhovah et autres marchands de religion ambulants. Beth s'appliqua à faire barrage de son corps afin d'éviter l'intrusion de la concierge dans l'appartement. Il était difficile de mettre un âge sur cette grande perche tout en angle et en os, d'une pâleur presque surnaturelle à force de passer ses journées à lire sans jamais prendre l'air. Le coloris auburn de ses cheveux accentuait encore son teint diaphane. La demoiselle vouait une admiration sans bornes à Ambroise Larnier et ne manquait jamais une occasion de venir le respirer et le manger des yeux, ne serait-ce que quelques secondes. Toutes les excuses étaient bonnes pour parvenir à ses fins. Se faire dépanner d'un litre de lait un jour, rendre le lendemain le litre dû, venir les informer que l'agent EDF était passé pour le relevé des compteurs, que l'appartement des Jeandron au deuxième étant en cours de réfection il y aurait peut-être quelques nuisances sonores dans la journée, que ce jeudi étant férié, le ramassage des poubelles n'aurait lieu que le vendredi. Tous les 7 décembre, elle venait souhaiter la Saint-Ambroise et tous les 4 juillet la Sainte-Élisabeth. À Noël, petit cadeau. À Pâques, œuf en chocolat. Pour la Saint-Valentin, il n'était pas rare de découvrir une carte parfumée glissée au milieu du courrier. La vieille fille avait trouvé son prince charmant, et ce prince, qu'il le veuille ou non, s'appelait Ambroise Larnier.

— Ambroise n'est pas là ? s'enquit l'énamourée. J'ai découpé cet article pour lui dans le dernier *Science et Vie*. C'est une interview de son papa sur les infections nosocomiales.

— Je lui donnerai quand il sortira de la douche. Merci Odile.

— Oh qu'il est mimi, s'étrangla Du-Beau-du-Bon-du-Chambon.

Beth crut un instant que l'exclamation s'adressait à son petit-fils avant de comprendre que celle-ci n'avait d'autre cible que le matou qui remontait le couloir dans leur direction avec nonchalance. Estomaquée, la vieille femme contempla le griffu venir frotter ses flancs contre les mollets décharnés de la concierge en ronronnant de plaisir, dessinant des arabesques lascives, des huit de plus en plus serrés avant de se rouler sur le paillasson pour offrir son ventre à la caresse. Odile Chambon s'accroupit pour saisir le chat qui, non seulement se laissa attraper sans cracher mais ronronna de plus belle sous les câlineries de la vieille fille. Beth n'en croyait pas ses yeux. Cet animal, qui jusque-là avait refusé tout contact et se montrait aussi sociable qu'un autiste, se pâmait littéralement d'extase tandis que les doigts fins de la gardienne pétrissaient son pelage roux. L'œil valide vrillé sur sa bienfaitrice pissait l'amour tandis que les vestiges de sa queue s'agitaient en tous sens.

— Comment s'appelle votre joli minou ? demanda Odile tout en gratouillant le cou du félin qui bavait de contentement.

— On ne l'appelle pas, avoua Beth, prenant soudain conscience qu'elle et son petit-fils n'avaient à aucun moment pris soin de baptiser la bestiole. Et puis ce n'est pas mon minou mais celui d'Ambroise, ajouta la vieille femme.

La phrase eut pour effet d'émouvoir Odile Chambon qui ferma les yeux. Pendant quelques instants, ce n'était plus un chat qu'elle tenait entre ses bras mais le jeune homme lui-même, auquel elle prodiguait moult caresses.

La porte de la chambre s'ouvrit sur Ambroise qui rejoignit la salle de bains au pas de course, lançant au passage un « Bonsoir Odile » qui se voulait le plus neutre possible. Surtout ne jamais donner prise à l'affectif, maintenir coûte que coûte la distance de sécurité afin de ne pas générer d'espoirs inutiles. Un regard trop longuement appuyé, un ton guilleret, l'ébauche d'un sourire, un effleurement involontaire pouvaient devenir autant de failles dans lesquelles s'engouffrerait sans retenue la demoiselle. Le jeune homme s'efforçait la plupart du temps de ne pas se montrer lorsqu'elle était là, ou, à défaut, de l'ignorer mais il semblait que toutes les tentatives pour lui refroidir l'enthousiasme ne faisaient au contraire qu'alimenter l'attirance d'Odile Chambon à son égard.

— Comme il est beau, ânonna la vieille fille en mangeant des yeux l'endroit où était apparu le jeune homme une seconde plus tôt.

Cette fois-ci, Beth ne se posa pas la question de savoir à qui était adressé le compliment.

Comme souvent, la vieille femme profitait du passage d'Odile Chambon pour lui confier le soin de déposer le sac-poubelle dans le bac à ordures situé au rez-de-chaussée. Ambroise l'oubliait une fois sur deux et c'était toujours trois étages d'économisés pour ses jambes fatiguées. Elle s'empara avec autorité du griffu qui grogna de mécontentement et déposa le sac dans les bras de la concierge avant de refermer la porte sur un « Bonsoir Odile » qui résonna dans la cage d'escalier comme une sentence définitive. Du-Beau-du-Bon-du-Chambon caressa encore le sac une ou deux fois avant de redescendre sur terre et de s'en retourner vers ses appartements, avec, encore incrustée dans le fond de ses rétines, l'image de la fugace apparition du jeune Larnier.

18

La plaque rutilait de tous ses feux. Dr FRANÇOIS-XAVIER GERVAISE, ANCIEN INTERNE DES HÔPITAUX DE PARIS, DOCTEUR EN NEUROLOGIE. Un prénom aux effluves de XVIe arrondissement, suivi d'un nom à la Zola aux odeurs d'arrière-cour. *Entrez sans sonner*. Comme une tumeur dans un cerveau, pensa Manelle en frissonnant. La secrétaire, chignon tiré au cordeau, après avoir saisi le dossier de Samuel et sa carte vitale, les invita à patienter en salle d'attente. Il émanait de la pièce une entêtante odeur de peinture fraîche. Ils s'assirent dans les sièges en similicuir aux accoudoirs chromés. Tout ici sentait le neuf, sauf la pile de magazines défraîchis posés en vrac sur la table basse. Des revues aux pages chiffonnées, écornées, triturées par les doigts impatients de malades rongés d'angoisse. Une femme attendait dans un coin de la pièce en tricotant. Entièrement absorbée par son ouvrage, elle croisait et décroisait les aiguilles avec l'énergie d'un bretteur de sabre. Manelle tapota la main de Samuel et le rassura d'un sourire. La porte du fond s'ouvrit sur deux hommes. L'un grand et maigre, l'autre petit, corpulent et d'une pâleur maladive. « Madame Maillard, je vous rends votre mari, il est à vous », s'exclama le plus grand des deux en serrant la main du type au teint cireux. Le docteur François-Xavier Gervaise s'éclipsa cinq longues minutes avant de réapparaître. « C'est à nous », reprit-il en invitant Samuel et la jeune femme à entrer dans son antre de sorcier. Une tête de spécialiste, songea Manelle. Un front dégarni à la peau luisante, comme lustrée, des mains manucurées, un menton glabre, une dentition d'un blanc éclatant, tout en lui respirait l'hygiène et la minutie. Sur le bureau, un crâne ouvert comme une noix dévoilait les circonvolutions blanchâtres de deux hémisphères en plastique. « Alors qu'est-ce qui nous amène ? » interrogea l'homme de science sous un air faussement jovial. Tu sais très bien ce qui nous amène, pensa Manelle en apercevant les clichés du cerveau de Samuel scotchés contre le panneau mural lumineux. Devant le silence du vieil homme et le regard désapprobateur que lui jetait la jeune fille, le médecin toussota, gêné, nettoya les verres de ses lunettes à l'aide d'une lingette, s'absorba quelques secondes dans la contemplation du dossier de son patient et recommença son introduction.

— Alors, oui, d'après ce que nous montre la cartographie de votre cerveau, Monsieur Dinsky, il semblerait que nous nous trouvions là en présence d'une masse tumorale à ne pas négliger.

Manelle pouvait lire en lui comme dans un livre ouvert. Il était clair que Samuel Dinsky et sa masse tumorale à ne pas négliger embêtaient fichtrement le spécialiste.

— Il semblerait ou il semble? demanda le vieil homme.

— Monsieur Dinsky, pour être tout à fait franc avec vous, vous êtes atteint d'une néoformation cérébrale à caractère évolutif, que l'on appelle plus communément glioblastome, de type multiforme.

Le médecin avait lâché le mot d'un bloc, comme il aurait expectoré un crachat encombrant. Glioblastome multiforme, le nom du tueur. Un nom qui puait les métastases à plein nez, songea Manelle.

— Ça s'opère? questionna la jeune femme.

L'homme de science se tortilla sur son fauteuil. Ces deux-là lui foutaient en l'air son plan de dialogue avec leurs questions à brûle-pourpoint. Ils grillaient les étapes, sautaient les séquences protocolaires. Bien sûr que non, qu'elle n'était pas opérable, cette saleté, mais il fallait annoncer tout ça dans les règles, emballer la sentence au milieu de belles expressions toutes prêtes, pommader le moral du patient d'une bonne couche d'anesthésiant avant de lui expliquer qu'il était foutu, définitivement foutu. Aussi, le spécialiste tenta-t-il malgré tout de reprendre la main en suivant le mode opératoire habituel préconisé pour l'annonce d'un tel diagnostic au futur défunt.

— On ne peut bien sûr pas nier la gravité de la pathologie dont est atteint Monsieur Dinsky, de plus il faudra faire des examens complémentaires mais il reste cependant…

— Est-ce que ça s'opère, docteur ? insista la jeune femme en serrant la main de Samuel.

— À vrai dire, non, lâcha dans un souffle le spécialiste au supplice. Outre l'état d'avancement non négligeable du glioblastome, il faut savoir que ce type de tumeur a la particularité de s'infiltrer dans les régions voisines et cette tendance invasive qui supprime la délimitation entre le tissu tumoral et les tissus sains rend malheureusement l'extraction de la grosseur impossible.

— Que va-t-il se passer, docteur? s'inquiéta Samuel sans lâcher la main de Manelle.

François-Xavier Gervaise saisit son stylo et tapota doucement le cerveau en plastique niché dans le crâne factice.

— Si la tumeur s'était développée là, dans la partie antérieure du lobe frontal, des troubles psychiques seraient déjà apparus. Sur la partie postérieure, vous auriez été victime de crises convulsives de type épileptique. En ce qui nous concerne, au vu de sa localisation, nous pouvons d'ores et déjà dire que les effets devraient se limiter à des variations au niveau des sens tels le goût, l'odorat ainsi que la vue. Et bien entendu, des céphalées toujours plus persistantes dues à l'augmentation de la pression intracrânienne mais que nous devrions pouvoir contenir avec un traitement de confort adapté.

François-Xavier Gervaise se redressa sur son fauteuil, trop heureux d'avoir pu placer son « En ce qui nous concerne », formule empathique phare qui renforçait l'association médecin-maladie-patient. Manelle eut le plus grand mal à chasser de son esprit l'image répugnante d'une grosse tique affamée agrippée à la cervelle de Samuel et s'engraissant aux dépens de son hôte.

— Combien, docteur? demanda le vieil homme qui s'était affalé sur lui-même.

Soulagé de s'en tirer à si bon compte, le spécialiste annonça la somme d'une voix claire.

— Quatre-vingt-cinq euros, s'il vous plaît, merci.

— Non, combien de temps, docteur, reformula Manelle outrée.

La glotte du médecin joua les yo-yos. La question tant redoutée. Faire de la médecine, le temps d'un calcul, une science exacte. Débit, crédit, solde. Le solde d'une vie.

— Vu la taille de la tumeur et compte tenu de sa rapidité d'évolution, je dirais un an maximum.

— Pardonnez-moi d'insister mais ce sont surtout les minimums qui m'intéressent, insista Samuel.

— Trois mois, au pire, finit par lâcher le spécialiste dans un souffle.

Quatre-vingt-dix jours, le temps nécessaire à un parasite pour tuer son hôte. L'équivalent d'une saison. Le temps pour un embryon de devenir fœtus. La durée d'un visa de court séjour. Plus qu'assez pour un tour du monde avec Jules Verne. Ils réglèrent et partirent sans un mot, cramponnés l'un à l'autre. À les voir, il était difficile de savoir qui, du vieil homme ou de la jeune fille, soutenait son voisin. Au moment de quitter le cabinet, son odeur de peinture fraîche et son air climatisé, Samuel ne put s'empêcher de regarder l'horloge suspendue au mur derrière la secrétaire. Il eut un instant la certitude qu'elle égrenait les secondes beaucoup plus rapidement que lorsqu'ils étaient arrivés. La vie du dehors les engloutit, chaude et bruyante.

19

— Tu n'as pas oublié que j'avais les vivants ce soir ? cria Ambroise à l'intention de Beth depuis la salle de bains.

— Non, je n'ai pas oublié et je t'ai même préparé un far aux pruneaux. Il est encore chaud.

— Tu es une vraie grand-mère pour moi, la taquina le jeune homme tandis qu'il se glissait sous le pommeau de douche.

Il appréciait plus que tout ce passage sous l'eau purificatrice lorsqu'il revenait du monde des morts. La journée avait été éreintante. Six soins dont un à domicile pour un suicide par arme à feu, avec reconstruction d'une partie du maxillofacial. Près d'une demi-heure de modelage à la cire avant de parvenir à un résultat acceptable. Ambroise glissa son dos endolori sous le jet brûlant et ferma les yeux. Il restait rarement hanté par les images de son travail, même si, bien sûr, il ne pouvait empêcher certaines d'entre elles de venir se loger sous son crâne. Il les savait là, ces images d'abomination, rangées quelque part dans un coin de sa tête, prêtes à surgir de la malle aux horreurs au détour d'un souvenir. Pour avoir essayé à ses débuts, il savait que tenter de les en chasser était voué à l'échec. Aussi les faisait-il siennes, conscient de leur présence comme un porteur sain peut l'être de la maladie qu'il héberge. Il se savonna, se rinça abondamment avant d'ébrouer sa tignasse noire, puis s'habilla. Jean, tee-shirt, sweat à capuche et une paire de Redskins. Des habits colorés et confortables, loin du costume noir et blanc de médecin des morts.

— Et toi, n'oublie pas Liline avant de partir, l'intercepta Beth au sortir de la salle de bains en lui tendant la petite boîte métallique dans laquelle était remisé le matériel.

— Oui maîtresse. Et comme on dit : jambe gauche mardi…

— C'est plus joli, conclut la vieille femme en souriant.

Déjà, Ambroise avait ouvert le couvercle métallique. En quelques gestes précis, il aspira le liquide et tapota la seringue de l'index puis, à l'aide du coton imbibé d'alcool, désinfecta la partie haute de la cuisse gauche de sa grand-mère avant de planter l'aiguille. Élisabeth Larnier souffrait de diabète depuis plus de vingt ans, ce qui nécessitait une dose d'insuline quotidienne. Enfant, lorsqu'il en avait l'occasion, Ambroise aimait assister Beth pour sa séance d'injection. Le petit bonhomme qu'il était alors se mettait aux ordres de sa grand-mère tel un infirmier de bloc opératoire. Elle lui avait appris à déballer la seringue à usage unique, à nettoyer la peau à l'endroit de la piqûre, à percer le caoutchouc du flacon pour prélever le liquide incolore, à pousser doucement sur le piston pour chasser l'air. À chaque fois, elle lui chantait la comptine de Liline l'insuline. « C'est pour savoir où piquer », lui avait-elle révélé à voix basse. Il en avait appris par cœur les paroles et se les récitait le soir au fond du lit comme on récite une prière, à l'heure même où il savait Beth en train de s'administrer sa médecine en grimaçant.

Bras droit lundi, on est ravi.
Jambe gauche mardi, c'est plus joli.
Fesse droite, tant pis pour mercredi.
Jeudi bras gauche, pas de jalousie.

Droite est la jambe le vendredi.
Fesse gauche samedi et ça suffit,
Car le dimanche, c'est tout dans l'ventre !

Un dimanche soir justement, sa grand-mère l'avait chargé de pratiquer l'opération de bout en bout. Du haut de ses douze ans, concentré comme jamais, il avait planté sans trembler la seringue dans l'abdomen de Beth, surpris de sentir la facilité avec laquelle l'aiguille s'enfonçait dans la chair tendre. « Même pas mal, tu fais ça beaucoup mieux que moi », l'avait-elle félicité en lui ébouriffant les cheveux. Elle lui avait laissé le soin de jeter la seringue dans la boîte en plastique. « N'oublie jamais ça, Ambroise, se plaisait-elle à rabâcher: une aiguille qui traîne trouve toujours un doigt pour s'y planter. »

Lorsqu'il était venu habiter auprès d'elle près de dix ans plus tard, c'est tout naturellement qu'elle lui avait assigné cette tâche quotidienne. Ainsi, avec une même tendresse malgré des gestes mille fois répétés, tous les soirs, Ambroise administrait sa dose d'insuline à la vieille femme.

— Tu es ma junkie préférée, plaisanta-t-il en rabaissant la jupe de Beth.

— Si au moins tu pouvais en ramener une à la maison, soupira-t-elle tandis que le jeune homme rangeait le matériel.

— Une junkie? demanda-t-il, même s'il savait très bien ce à quoi Beth faisait allusion.

— Non idiot. Une de tes vivantes, comme tu les appelles.

— La dernière que je t'ai ramenée était tombée amoureuse de ton kouign-amann et elle aurait fini obèse si on était resté ensemble, lui répondit Ambroise. Je l'ai quittée pour son bien. Ne m'attends pas pour t'endormir, ajouta-t-il, je ne vais pas rentrer avant deux ou trois heures du matin. Je ne travaille pas demain. Et puis ça va me faire du bien de côtoyer un peu de jeunesse, je n'en peux plus de vivre avec une vieille, poursuivit-il en déposant au passage une bise sur le front de Beth qui lui offrit sa plus belle moue en lui glissant entre les mains le plat contenant le far.

20

La salle paroissiale où jouait la troupe se trouvait à trente minutes de son domicile. Ambroise gara son véhicule sur le parking adjacent et tira de derrière le siège passager la valisette qui y était entreposée. Même si les produits de maquillage utilisés pour les vivants étaient en tout point identiques à ceux qu'il employait pour ses patients habituels, il avait néanmoins dès le début acheté en double tout le nécessaire, faisant l'acquisition pour les ranger d'un vanity au tissu multicolore, loin du cuir sombre des mallettes. Et s'il venait à manquer dans celui-ci d'un fard à joues, d'un pot de gel ou d'une boîte de poudre de riz, jamais il ne lui venait à l'esprit d'aller puiser dans la trousse des morts le produit manquant. Une règle à laquelle il ne voulait en aucun cas déroger. Ne pas mélanger les deux mondes entre lesquels il oscillait à longueur de temps, même si pour lui, l'un ne pouvait aller sans l'autre. Il rejoignit Jean-Louis, le metteur en scène, qui fumait sur le parking accompagné de Xavier et Sandrine, deux des acteurs.

— Ça donne quoi ? s'enquit Ambroise tout en embrassant le trio.

— Le grand luxe, monseigneur, répondit le metteur en scène. Des chiottes larges comme Versailles où tu vas pouvoir poudrer et tartiner ces messieurs dames sans être à l'étroit. Tu as même droit à un miroir mural. Les acteurs trouvent les planches un peu petites, mais tu sais comment ils sont : jamais contents, plaisanta-t-il en balançant une claque dans le dos de Xavier.

La troupe ne savait jamais vraiment sur quel genre de scène elle allait se produire. Une salle paroissiale comme ce soir, un cinéma, un gymnase, une médiathèque, un préau d'école, plus rarement un vrai théâtre. S'accommoder de l'endroit et adapter celui-ci lorsque la chose était possible, tel était à chaque fois le challenge à relever. Exactement comme pour un soin à domicile, songea Ambroise. Un mort à même le sol dans une chambre minuscule, un défunt allongé sur une porte dégondée et posée sur des tréteaux au milieu d'un garage, une famille qui refuse catégoriquement de quitter la pièce pendant le soin, des proches encore plus taiseux que le mort, d'autres impossible à faire taire, sans parler de l'état général du corps qui apportait fréquemment son lot de surprises, la monotonie n'existait pas en thanatopraxie. Le jeune homme pénétra dans la salle où s'activaient machinistes et acteurs. Il serra des mains, claqua des bises, fit des accolades, avec cette agréable impression, à chaque fois qu'il retrouvait les vivants, d'appartenir à une belle et grande famille, une famille dont les membres venaient de tous les horizons. Jean-Louis était dentiste, Xavier prof, Sandrine bossait dans une grande surface, Yves était artisan peintre, Louise maître-nageuse, Mireille secrétaire. Il en allait ainsi pour la quinzaine de passionnés qui composaient la troupe.

Ambroise l'avait découverte deux ans plus tôt au hasard d'une petite annonce scotchée près du tiroir-caisse chez son coiffeur. *Les Tréteaux de la Fontaine, troupe de théâtre amateur, cherchons maquilleuse bénévole pour leur nouvelle saison et plus si affinités. Sérieuses s'abstenir.* Même si son sexe ne correspondait pas à celui de l'annonce, ce *Sérieuses s'abstenir* l'avait décidé à tenter sa chance. Tout de suite, on l'avait adopté. Les filles surtout, trop heureuses de mettre leur visage entre les mains de ce jeune Apollon mignon à croquer qui jouait du pinceau, des fards à paupières, du mascara et du rouge à lèvres comme un vrai pro.

— Larnier ? T'es parent avec le Nobel ? lui avait-on demandé le premier soir.

— Éloigné, avait-il répondu évasif. Très éloigné.

Et la question qu'il redoutait par-dessus tout n'avait pas mis longtemps à tomber :

— Tu fais quoi dans la vie ?

Lorsqu'il ne mentait pas, le jeune homme usait souvent de la formule de Maître Thanato : « Dans la vie, je suis dans la mort. » Ou, s'il était d'humeur taquine, se plaisait à se dire restaurateur, ce qui créait immanquablement le quiproquo. En ville ? Oui, en ville et dans la région. Quel restaurant ? Ah mais je n'ai pas dit que je possédais un restaurant, répondait-il. Mais t'as dit restaurateur. Tu fais de la bouffe à emporter, c'est ça ? Pizza, sushi ? Il m'arrive de faire de la restauration à domicile, oui, mais sans aucun rapport avec la cuisine. Le dialogue pouvait ainsi se poursuivre durant de longues minutes. Restaurateur de tableaux ? Non, mais c'est bien dans cette acception qu'il faut entendre le mot « restaurateur », encourageait Ambroise. De meubles ? Non plus. De bâtiments ?

Pas mieux. Petit jeu de devinettes qu'il prolongeait à l'envi, jusqu'à ce qu'il assène les trois mots qui, loin de tarir le flot des questions, avaient pour effet de déclencher une nouvelle avalanche d'interrogations : restaurateur de corps. Avec la troupe, il avait dû mentir : la franchise l'aurait immanquablement condamné à l'exclusion. Il était difficile de faire accepter à des gens qui s'apprêtaient à mettre leur visage entre vos mains que ces mêmes mains venaient de triturer tout le jour durant une ribambelle de cadavres.

— Je bosse pour une boîte chargée de la collecte médicale auprès des hostos, cliniques et labos. On collecte les DASRI, les déchets d'activités de soins à risque infectieux. Pas passionnant mais faut bien vivre, avait-il ajouté.

Collecteur de déchets médicaux. Ils avaient avalé le mensonge sans problème. Ambroise n'avait même pas eu besoin de leur montrer les bacs jaune soleil siglés DASRI stockés dans son fourgon et dans lesquels il entassait les poches de déchets de la journée.

À moins d'une heure de la représentation, une frénésie joyeuse s'était emparée de la troupe. Tandis que les machinistes finissaient de monter les panneaux amovibles qui servaient au décor, Ambroise alla prendre ses marques dans les toilettes.

Jean-Louis n'avait pas menti. Spacieuses, elles disposaient d'un immense miroir mural au-dessus des éviers. Il ouvrit le vanity, déploya brosses, pinceaux et crayons. Louise qui venait d'enfiler son costume était la première à passer au maquillage. Depuis près de trois mois que la troupe jouait sa nouvelle pièce dans toute la région, les mécanismes étaient rodés. Tout à l'heure, Ambroise irait se glisser dans le fond de la salle pour se délecter du spectacle avec le public. Plus tard, une fois les décors remisés dans les deux camionnettes et les projos rangés dans les malles, il partagerait avec les autres le débriefing d'après séance autour des salades, charcuteries, fromages et gâteaux apportés par chacun, au milieu des vannes et des éclats de rire. Mais le moment le plus intense pour Ambroise restait celui où les acteurs venaient lui offrir les uns après les autres leur visage à maquiller. Grimer les vivants le soir venu après avoir fardé des morts tout le jour était le meilleur moyen qu'avait trouvé le jeune homme pour garder à l'esprit que la vie pouvait être autre chose qu'une succession de défunts et de familles éplorées. Retrouver des chairs irriguées, parcourir des peaux souples et chaudes, sentir sous la pulpe des doigts des paupières frémissantes, masser des figures mouvantes au milieu des conversations le ressourçaient. Un foisonnement de vie loin, si loin du silence des corps éteints. Comme par hasard, six cadavres étaient passés entre ses mains aujourd'hui et ce soir, six vivants l'attendaient au maquillage. L'équilibre parfait.

— Je suis morte, souffla Louise en s'affalant sur la chaise. Je ne sais pas ce qu'avaient les mômes aujourd'hui à la piscine mais ils m'ont tuée. Regarde-moi cette tronche de moribonde.

— Non ma belle, rétorqua Ambroise tandis qu'il remontait les cheveux de l'actrice pour les lier en un chignon grossier, le temps du maquillage. Je peux te promettre que ta tête n'a rien de la tête d'une morte, la rassura le jeune homme, sourire aux lèvres.

21

— Je peux vous voir, mon p'tit Ambroise ?

Ambroise sourit. Les questions de Bourdin ressemblaient souvent à des injonctions, dans le cas présent, une injonction à passer au bureau dès que possible. Et lorsque Roland Bourdin donnait du « mon p'tit Ambroise », on pouvait s'attendre à tout. « Au pire comme au pire », aurait dit Beth. Sur le départ pour un soin à l'autre bout du département, le jeune homme se dérouta pour passer à la maison mère. Il se gara dans l'arrière-cour et pénétra dans le vaste hangar où étaient entreposés le matériel et les véhicules de l'entreprise. Il traversa le magasin de présentation. L'atmosphère qui y régnait était propice au recueillement. Une eau limpide cascadait doucement à droite de l'entrée côté rue, mêlant son glougloutement continu à la musique que diffusaient des haut-parleurs cachés derrière la luxuriance d'un lierre synthétique. Du sol au plafond, une armée de crucifix tapissait le mur de gauche. Suspendues au présentoir à côté du comptoir, des inscriptions en laiton exposaient leur message posthume : *À mon Époux, À notre Oncle, À notre Grand-Mère, À notre Grand-Père, À mon Filleul.* Un parterre de couronnes artificielles s'étalait de part et d'autre de l'allée centrale. Ambroise longea la rangée de cercueils exposés dans la deuxième salle et escalada l'escalier qui menait au bureau situé à l'étage. Là, régnait le monde de la paperasse, de la compta, des factures et des devis, un monde à des années-lumière de l'univers feutré et ordonné d'en bas. Ça sentait le café réchauffé et le tabac froid. Partout, les étagères ployaient sous les classeurs. Roland Bourdin s'arracha à la contemplation de son écran d'ordinateur pour venir à sa rencontre. Sa fille Francine le salua d'un bref signe de tête sans cesser de pianoter sur son clavier. Au fil du temps, elle était devenue ce fils que Bourdin n'avait pas eu. Cheveux courts, toujours en chemise et pantalon, les épaules plutôt carrées, celle que tout le monde appelait Francis dans le milieu funéraire n'avait de cesse de cultiver cette masculinité qu'elle portait en elle afin de parfaire l'usurpation d'identité sexuelle désirée par son géniteur. Bourdin fit asseoir Ambroise.

— Café? Francine, deux cafés s'il te plaît mon chéri. Si je vous ai fait venir Larnier, c'est parce que je n'ai personne d'autre sur qui compter pour ce boulot. Oh, rien de bien compliqué, rassurez-vous. Un corps à traiter et à rapatrier depuis la Suisse. Quatre-vingt-deux ans, moins de soixante kilos. Deux jours pour le voyage aller-retour, plus trois jours sur place. Ne me demandez pas pourquoi trois jours, le client est roi, surtout quand il paie bien. Le défunt n'a plus de famille à part un frère jumeau. C'est lui qui nous a contactés. Il vous accompagnera, à l'aller comme au retour. Belle somme en jeu pour l'entreprise, plus prime conséquente pour vous, mon p'tit Ambroise. Vous n'avez pas pris un seul jour de congé depuis des lustres. Voyez ça comme des vacances, Larnier. Et tout ça aux frais de la princesse. Hôtel quatre étoiles sur les quais du Léman. Et le bord du lac en cette saison, ce doit être quelque chose. J'avoue que si je n'avais pas le navire à diriger, l'aventure m'aurait tenté. Pas besoin de vous dire qu'on offre au client une prestation clés en main et qu'il faut être irréprochable. Vous partez lundi.

Ambroise se dit que son patron avait l'art du raccourci. Un grand sourire vint déchirer le visage taillé à la serpe de Roland Bourdin tandis qu'il se penchait vers lui :

— Vous prendrez le Vito, glissa-t-il, magnanime.

Le Mercedes Vito, l'argument suprême. La fierté de Roland Bourdin. L'utilitaire le plus luxueux de la flotte de véhicules de l'entreprise, avec compartiment réfrigéré pour le transport des morts et quatre vraies places pour celui des vivants.

— Encore un détail, vous avez rendez-vous demain en début d'après-midi avec le frère du défunt. Il souhaite voir avec vous les détails pour le voyage et doit nous régler l'avance. Ça ne vous prendra pas plus d'une demi-heure. Francine vous a noté l'adresse et a préparé le contrat à lui faire signer.

Tandis qu'Ambroise reprenait la route, il prit conscience qu'il n'avait pas prononcé un seul mot entre le moment où il avait mis les pieds dans le bureau et celui où il en était ressorti. Pressé comme souvent par Bourdin, son silence avait fait office d'acceptation tacite. Il pensa alors à Beth, à sa piqûre d'insuline quotidienne, comment il allait devoir abandonner sa grand-mère cinq jours durant. Bien qu'elle ait conservé encore toute sa tête, il lui arrivait de plus en plus souvent de mélanger les jours, de confondre parfois, à l'instant où le ciel prend la teinte du crépuscule, le matin d'avec le soir. L'oubli d'une injection pouvait avoir des conséquences dramatiques. Le Vito possédait quatre places. C'était plus qu'il n'en fallait. Sa décision était prise avant même de quitter les faubourgs de la ville. Beth l'accompagnerait. Bourdin n'en saurait rien. Il avait souvent entendu la vieille femme rêver de voir le jet d'eau de Genève. Il allait réaliser son rêve. Quant au théâtre, la prochaine représentation n'aurait lieu que dans trois semaines. Et pour ce qui était du griffu, le jeune homme avait sa petite idée.

22

Des senteurs agréables assaillirent les narines de Manelle lorsqu'elle pénétra dans l'appartement. Un bouquet odorant, subtil mélange de romarin, de laurier, d'oignons et de viande rôtie, provenait de la cuisine. Le dernier jeudi de chaque mois, Samuel partageait son repas avec son aide à domicile. Un repas qu'il mettait un point d'honneur à confectionner lui-même et qu'il ébauchait plusieurs heures voire plusieurs jours à l'avance. Le jeudi venu, dès l'aube, le vieil homme inventoriait les ustensiles, sortait les ingrédients du frigo, disposait le tout sur le plan de travail avant de s'affairer au milieu des casseroles pour concocter le menu du jour. Manelle ne put échapper à la tentation de se faufiler jusqu'à la cuisine pour aller soulever le couvercle de la cocotte. Couché sur un lit de pommes de terre, de carottes et d'oignons, un rôti mijotait à feu doux, exposant son échine dorée. La jeune femme ne prit pas la peine d'ouvrir la porte du frigo. Elle savait que la forêt noire noyée de chantilly maison qui venait toujours ponctuer le rendez-vous mensuel s'y trouvait. Un dessert qui devait occuper Samuel une bonne partie de son mercredi après-midi et pour lequel il lui fallait nécessairement puiser dans le peu de forces qu'il lui restait, la jeune femme en était persuadée.

La maladie avançait vite, beaucoup trop vite aux yeux de Manelle. La bestiole gagnait tous les jours un peu plus de terrain, se repaissant du corps sans défense du vieil homme. La tumeur allait le vider peu à peu de sa substance jusqu'à ce qu'il n'en reste plus qu'une malheureuse créature décharnée. Près d'un mois après la visite auprès du neurologue, il avait encore maigri. Il mangeait de moins en moins, vomissait parfois le peu qu'il avalait lorsque les maux de tête devenaient insupportables. Au-dessus des pommettes saillantes, les yeux rencognés au fond des orbites avaient perdu de cet éclat lumineux qui éclairait son visage auparavant. Lundi, la jeune aide à domicile avait surpris le vieil homme immobile au milieu de son salon, le regard absent, groggy debout, là même où la douleur avait daigné l'abandonner pour un temps. Un être perdu au milieu de l'accalmie et suspendu dans l'attente du retour de cette maîtresse insatiable qui partageait dorénavant son existence. Au train où avançaient les choses, l'espérance de vie chiffrée à trois mois du docteur Gervaise paraissait à présent des plus optimistes.

« Mon soleil du matin se porte bien ? » s'enquit le vieil homme tandis que Manelle déposait un baiser au creux des joues râpeuses. En dépit du mal qui le rongeait, il s'inquiétait toujours de savoir comment elle allait. Même s'il lui fallait feindre de plus en plus souvent le ton guilleret qu'il employait, sa prévenance envers elle ne l'était jamais et c'est avec un réel intérêt qu'il se préoccupait de sa personne. Avait-elle bien dormi, mangeait-elle à sa faim, prenait-elle le temps de s'amuser, de sortir, d'avoir d'autres fréquentations que des vieillards en fin de vie ? Elle le rassurait, éludait d'un « Oui, pas de soucis » ou le plus souvent, lui retournait les questions. Elle ne lui parlait jamais de la solitude emplie de plateaux télé insipides, des bouquins dévorés avec frénésie pour se saouler des mots des autres, des nuits d'insomnie à se rêver un ailleurs. Après une journée de travail à voleter d'un domicile à un autre, à nettoyer, ranger, repasser, récurer, cuisiner, elle n'avait d'autre envie une fois sa journée terminée que de rentrer chez elle le plus vite possible pour venir s'échouer sur son canapé-lit. L'idée même de ressortir l'épuisait. Avec le temps, il lui semblait de plus en plus difficile de s'échapper de cette vie dans laquelle elle s'enfermait. Entrée en solitude comme on entre dans les ordres. C'est là ton châtiment, ma vieille, se répétait-elle souvent. Une vie à expier le crime. Parfois, au cœur de la nuit, la petite chose sanguinolente et hurlante venait l'arracher au sommeil. Comme si l'embryon né dans son ventre d'adolescente quelques années plus tôt et aspiré vers la mort par un médecin obstétricien n'avait jamais cessé de croître en elle. La gamine de dix-neuf ans qu'elle était alors s'était sentie totalement incapable de garder un enfant et la décision de l'avortement s'était imposée comme une évidence. IVG. Trois lettres d'apparence anodine derrière lesquelles se terrait la solution. Interruption Volontaire de Grosseur. Car c'était bien de cela qu'il s'agissait : une grosseur, un amas de cellules anodines pas plus désiré qu'une tumeur maligne, fruit d'un coup de foudre passager dont elle ne se souvenait même plus du visage et encore moins du prénom. Elle avait découvert trop tard que le choix de la perte pouvait être bien pire encore que le pari de la naissance. Manelle n'était jamais parvenue à faire le deuil de ces quelques grammes de vie qu'on lui avait arrachés.

Comme le dernier jeudi de chaque mois, Samuel n'attendit pas que la jeune femme ait terminé ses tâches ménagères pour l'inviter à venir s'attabler. Ils mangèrent avec dans le regard cette drôle de gêne que la maladie, en squatter envahissant, avait érigé insidieusement entre eux. Parmi les discrets bruits de mastication, le silence se faufilait, s'empilait en strates si épaisses que même le staccato de l'averse cinglant furieusement la fenêtre de la cuisine peinait à le diluer. Un silence insupportable que Manelle rompit avant qu'il ne noie tout.

— Vous n'êtes pas obligé de toujours faire une forêt noire, vous savez. Ça fait vraiment beaucoup de travail.

Pour un homme dans votre état, avait-elle manqué d'ajouter. Même non exprimé, le sous-entendu s'installa entre eux, prit ses aises au milieu du silence revenu, avant que Samuel le brise à son tour.

— Vous ne m'aviez jamais posé de questions là-dessus, constata le vieil homme en désignant du menton la masse crémeuse posée au milieu de la table. Depuis tout ce temps que je vous l'impose, pas une fois vous ne m'avez demandé pourquoi toujours une forêt noire et pas autre chose. Tout comme vous avez toujours eu la délicatesse de ne jamais me parler de ça, poursuivit Samuel en tapotant de l'index la série de chiffres violacés tatoués à l'intérieur de son avant-bras. L'un ne va pas sans l'autre. Je veux dire le gâteau et ce matricule. J'avais douze ans. Il y avait cette forêt noire préparée par ma mère, une forêt noire comme elle seule savait les confectionner. Je venais de prendre une première bouchée lorsque ont surgi les hommes en manteaux de cuir. La dernière image que je conserve du monde d'avant l'horreur est celle de ce gâteau. Son biscuit marron nappé de chantilly et saupoudré de cerises confites posé au milieu de la table et, tout autour, ces bruits de bottes, ces ordres aboyés et les hurlements.

Alors, et pour la première fois de sa vie, Samuel se mit à raconter Sobibor. Ce fut comme si les vannes d'un immense barrage venaient de céder. Il décrivit la survie du petit animal apeuré qu'il était devenu en quelques semaines au sein du camp. Le travail ignoble, la faim, les maladies, les poux, les coups, et la mort partout, à tourner autour, à frapper à l'aveugle. Au fur et à mesure qu'il parlait, la jeune femme pouvait voir la peur revenir au fond de ses yeux.

— Eh bien vous savez Manelle, la seule chose qui m'a permis de tenir dans cet enfer, c'est ce gâteau et le goût de cette première bouchée imprimé sur mon palais et conservé comme on garde un talisman. C'est grâce à lui que j'ai tenu. Sur le châlit glacial, tandis que je crevais de froid et de faim, c'est à ce gâteau que je pensais. J'imaginais son onctuosité en bouche, le craquant délicat de la cerise confite, la légèreté du biscuit. Je rêvais qu'il m'attendait, frais et moelleux comme au premier jour, et qu'en le dévorant, j'allais pouvoir faire revenir la vie d'avant. C'est là, au milieu de l'abomination, que je me suis juré de devenir pâtissier si je m'en sortais. Pendant plus de quarante ans, du fond de mon magasin, j'ai fabriqué des forêts noires et toutes sortes de pâtisseries pour les clients, avec cette idée naïve et saugrenue qu'une personne qui mange des gâteaux ne peut être foncièrement mauvaise. À mon retour du camp, je m'étais persuadé que la mort ne reviendrait jamais jouer avec moi, qu'elle s'était lassée de ma personne et qu'elle se contenterait le moment venu de m'éteindre comme on souffle la flamme d'une bougie. Je n'ai pas l'intention de lui laisser le plaisir de valser de nouveau avec moi comme elle l'a fait pendant des mois avec le gamin du baraquement numéro quarante-huit du camp de Sobibor.

Tout en parlant, Samuel avait attrapé l'enveloppe posée sur le buffet de la cuisine. Il en sortit le dossier qu'elle contenait et le déposa devant Manelle. La jeune femme ne put s'empêcher de frémir à la vue du mot *Délivrance* qui s'étalait en lettres sombres en haut à droite de la chemise. Elle avait déjà entendu parler de cette association d'aide au suicide médicalement assisté, basée en Suisse. Des gens qui, moyennant finances, offraient un cocktail mortel à ceux qui, atteints d'une maladie incurable, voulaient quitter l'océan de douleurs dans lequel ils se débattaient. Elle éplucha des yeux la plaquette couleur pastel qui vantait les mérites de l'association. S'y étalaient des photos de vieillards au visage souriant alités au milieu de chambres baignées de soleil. Une publicité d'agence de voyages pour une destination lointaine, songea Manelle avec dégoût. Elle ne put réprimer un frisson à la vue du contrat qui courait sur une dizaine de pages. C'était le même genre de contrat qu'elle avait dû signer pour l'IVG. Tout semblait avoir été soigneusement planifié. La date et l'heure du rendez-vous pour la visite médicale obligatoire auprès du médecin chargé du contrôle de l'état de santé du postulant au départ, l'adresse exacte de l'appartement où se dérouleraient les opérations, la composition détaillée de la potion létale, le nom et portrait de l'accompagnateur. Y étaient jointes les copies du dossier médical. Chaque bas de page avait été paraphé par Samuel d'un gribouillis. Un contrat de mariage avec la Faucheuse, songea Manelle en refermant la chemise.

— Souffler la flamme, c'est tout ce que je demande, argumenta le vieillard. Ils font ça très bien, vous savez. J'attends l'entrepreneur des pompes funèbres que j'ai contacté pour le transport. Tout est déjà réglé. C'est à Morges, sur les rives du Léman. L'antichambre du paradis, plaisanta Samuel sans réelle conviction. Nous partons lundi prochain. Ça ne prendra que quelques jours. Je n'ai plus de famille, personne à part vous et j'aimerais vraiment vous avoir à mes côtés. Ne voyez pas dans cette requête le caprice d'un vieux fou. Je suis bien conscient que tout ce que je vous demande là va bien au-delà de vos attributions et je comprendrais si vous refusiez, mais vous êtes la seule personne au monde à qui je peux demander cela.

Manelle s'était levée. L'embryon criait en elle.

— Une fois, j'ai aidé la mort, alors ne me demandez pas de me faire sa complice une deuxième fois. Mon boulot, c'est d'aider à vivre, pas à mourir, explosa-t-elle, la vue brouillée par les larmes, avant de s'enfuir.

23

Belle, ce fut le premier mot qui vint à l'esprit d'Ambroise lorsqu'il découvrit la jeune femme qui lui ouvrit la porte, juste avant que celle-ci ne se transforme en furie.

— Je sais pourquoi vous êtes là et j'espère que vous êtes fier de ce que vous faites. C'est dégueulasse, vous m'entendez, dégueulasse. C'est de la complicité d'assassinat, il n'y a pas d'autres mots. De la complicité d'assassinat, ni plus ni moins. Je me demande comment vous pouvez encore vous regarder dans la glace le matin. Vous devriez avoir honte de vous, honte.

La fille lui avait craché au visage les derniers mots avant de poursuivre son chemin en le bousculant, des larmes plein les yeux. Des senteurs vanillées flottaient dans son sillage. Ses pas résonnèrent sur le pavage luisant de l'allée tandis qu'elle rejoignait sa voiture en courant sous l'averse. Elle dut s'y reprendre à deux fois pour mettre en route son antique Polo, qui toussota avant de vrombir dans un nuage de fumée grise. Elle démarra en trombe, s'arrachant au trottoir dans un crissement de pneus. Après plusieurs secondes d'hébétude, Ambroise dut se convaincre qu'il n'avait pas rêvé la furtive mais néanmoins merveilleuse apparition à laquelle il venait d'assister. Il lui fallut se persuader que les cheveux bouclés noir de jais, le magnifique regard sombre qui l'avait fusillé, la poitrine menue qui s'était agitée sous la blouse vert pâle au rythme des paroles prononcées, la voix qui, il en avait la certitude, devait être douce lorsqu'elle n'était pas déformée par la colère et cette bouche si joliment dessinée d'où avaient jailli les mots existaient réellement. *Belle*. Malgré le déferlement d'indignation hystérique dont il venait d'être victime, l'adjectif continuait à virevolter dans la tête du jeune homme. Jamais ce qualificatif ne lui avait paru si bien convenir à une personne. Il était déjà arrivé à Ambroise d'assister à des réactions étranges vis-à-vis de la thanatopraxie de la part de proches d'un défunt, de rencontrer de la défiance parfois, de la gêne ou de l'incompréhension, mais jamais il n'avait été la victime d'une telle virulence.

La voix masculine qui l'invitait à entrer l'arracha à ses pensées. Remontant le couloir à pas lents, le vieil homme qui venait à sa rencontre était petit et plutôt malingre. À peine cinquante-cinq kilos pour un peu plus d'un mètre soixante, jugea Ambroise. Malgré la touffeur qui régnait dans la maison, il était emmitouflé dans un peignoir épais et avait enroulé une écharpe de laine autour de son cou. Les pattes d'oie prononcées qui ornaient ses yeux conféraient à son visage un caractère amical malgré son teint pâle. *Malade*, pensa le jeune homme tandis qu'il serrait la main sèche et chaude que le vieux lui tendait.

— Vous êtes la personne des pompes funèbres ? Excusez cet accueil, bredouilla le vieillard, tout ça est ma faute. Il faut pardonner à Manelle, c'est une jeune femme tellement impulsive.

Manelle. Les deux syllabes sonnèrent agréablement aux oreilles du jeune thanatopracteur. Il se demanda comment on pouvait héberger pareille violence en soi lorsque l'on portait un prénom aussi doux. Le vieil homme fit entrer Ambroise dans le salon à sa suite. De lourdes tentures buvaient la lumière du dehors, plongeant la pièce dans une semi-obscurité.

— Désolé mais la clarté du jour me fait mal, s'excusa-t-il tandis qu'il allumait le plafonnier. Asseyez-vous, Monsieur… ?

— Larnier, Ambroise Larnier, répondit le jeune homme tandis qu'il s'échouait dans le moelleux du fauteuil.

— Voilà, je pense que Monsieur Bourdin vous a expliqué ce pour quoi j'ai sollicité le service de votre entreprise.

— Oui. Il s'agit de réaliser le traitement et le rapatriement du corps de votre frère jumeau, de la Suisse vers la France, c'est bien ça ?

— Tout à fait. Et vous a-t-il précisé que je serai du voyage à l'aller comme au retour ?

— En effet. Cela ne posera pas de problème, nos fourgons mortuaires bénéficient de places assises tout ce qu'il y a de plus confortable.

— Très bien, parfait. Je vous ai préparé le chèque. Nous étions convenus avec Monsieur Bourdin d'une avance mais je préfère régler la totalité dès maintenant. L'hôtel est également déjà réservé. Le Régent, pour quatre nuitées.

Ambroise sortit le contrat que Samuel s'empressa de signer. Le jeune homme toussota, gêné.

— Cela n'est pas précisé dans le document mais nous serons accompagnés d'une ordonnatrice bénévole chargée de l'accompagnement des familles.

Beth n'avait pas caché son euphorie à l'idée d'être du voyage. Ce périple en Helvétie l'avait rendue intarissable sur le pays. Le jet d'eau, le chocolat, la fondue, les filets de perche, les röstis, les référendums, la finance. Le jeune homme avait dû refréner son enthousiasme en lui rappelant que le but initial de ce voyage était de convoyer une dépouille et, non comme elle le suggérait, d'aller déposer une gerbe de fleurs devant l'Hôtel de la Paix à Genève où Mike Brant avait tenté une première fois de mettre fin à ses jours. Il l'avait briefée concernant ce rôle d'ordonnatrice improvisé qu'elle allait devoir endosser. Connaissant sa grand-mère, il avait insisté sur la modération qu'il attendait d'elle. « Surtout n'en fais pas trop, avait-il insisté. Un silence recueilli, ça conviendra très bien. Et tu n'es pas obligée de dire que tu es ma grand-mère. Ça ne ferait pas très professionnel. » Ambroise avait maintes fois répété son mensonge, allant jusqu'à le déclamer devant le miroir de la salle de bains. Malgré cela, il sentit les rougeurs envahir ses joues et ses oreilles tandis qu'il dévidait son boniment à Samuel Dinsky. Mentir n'avait jamais été son fort et l'exercice le mettait au supplice.

— Rassurez-vous, elle n'interviendra en aucune manière dans le déroulement des opérations, son rôle n'est qu'un rôle de soutien aux familles. J'espère que vous n'y voyez pas d'inconvénients. Bien entendu, tous les frais la concernant seront entièrement pris en charge par la société Bourdin, conclut le jeune homme, soulagé d'être parvenu au bout de son mensonge.

— Pas de problème, rétorqua le vieil homme, je suis au contraire rassuré de voir un tel professionnalisme. Je vais réserver une chambre supplémentaire pour cette personne, à mes frais, si, si, j'insiste. Vous avez sûrement déjà mangé, mais permettez-moi de vous offrir une part de forêt noire.

Ambroise qui n'avait rien avalé depuis le matin accepta avec plaisir. Ce type lui plaisait. Il émanait de lui, malgré un état de faiblesse évident, un étrange sentiment de sérénité. Samuel revint de la cuisine avec une énorme part de gâteau qu'il tendit à Ambroise. Un quart d'heure plus tard, l'estomac plein, il prenait congé du vieil homme, se disant que ce type était comme son gâteau: riche et généreux.

24

Les essuie-glaces peinaient à chasser les trombes d'eau qui s'abattaient sur le pare-brise. Manelle balança un coup de klaxon rageur à la voiture qui la précédait lorsque le feu passa au vert. T'attends quoi pour avancer, qu'il arrête de pleuvoir ? Depuis qu'elle avait quitté Samuel et croisé le marchand de mort qui se trouvait sur son palier, l'aide à domicile ne décolérait pas. En rouvrant la blessure, le vieil homme avait libéré les souvenirs enfouis qui s'échappaient à présent tel un sang impur. Le soleil radieux qui brillait ce jour-là, la blancheur insolente des bâtiments, les portes vitrées qui s'étaient refermées dans son dos en coulissant sans bruit, la fontaine murale où cascadait une eau claire dans d'affreux glouglous. L'ascenseur l'avait emportée dans les sous-sols, loin des chambres ensoleillées et fleuries du premier étage où gazouillaient devant des mères comblées des bambins aux poignets ceints de leur bracelet rose ou bleu. La seule lumière baignant la pièce où on l'avait conduite était celle des néons. C'était un endroit où l'on ne s'attardait pas, un endroit où l'on arrivait comme une voleuse avant d'en repartir hébétée, avec un vide immense au milieu du corps. Malgré l'anesthésie locale, elle avait frissonné lorsque le spéculum s'était glissé en elle. Elle avait fermé les yeux tandis que la canule reliée à l'appareil aspirateur vampirisait le fruit de ses entrailles jusqu'à ce qu'il n'en reste rien, juste une place vide où allaient pouvoir se nicher les remords à venir. Il avait fallu au chirurgien moins de dix minutes pour accomplir sa tâche, pour un prix forfaitaire de quatre cent trente-sept euros et trois centimes. Une mort bon marché, cent pour cent remboursée par la Sécurité sociale. En quittant l'hôpital, elle avait croisé une autre fille. Démarche d'automate et yeux remplis de dégoût, un reflet d'elle-même.

Tandis que la pluie redoublait de violence, la jeune femme se promit qu'à défaut d'avoir su donner la vie, elle allait tout faire pour essayer de repousser la mort.

25

Ambroise avait mal dormi. L'excitation de Beth était contagieuse et il n'était parvenu à trouver le sommeil que sur le petit matin, juste avant que la pendule ancestrale de sa grand-mère ne réveille tout l'immeuble en carillonnant de tous ses grelots à six heures trente tapantes. Même la douche froide qu'il s'infligea ne parvint pas entièrement à le tirer de l'état comateux dans lequel il se trouvait. Ce fut le bagage de Beth qui réveilla définitivement le jeune homme lorsque le gros orteil de son pied gauche vint heurter violemment l'encombrante malle métallique entreposée au milieu du couloir. Il clopina jusqu'à la cuisine en émettant une bordée de jurons.

— C'est quoi ce truc ? gémit Ambroise tout en frottant vigoureusement son pied endolori.

— L'ancienne cantine militaire de feu ton grand-père.

— Tu n'as pas trouvé plus petit ? On ne part pas faire une croisière sur le Nil.

— J'ai jamais rien trouvé de mieux pour ranger mes vêtements. Au moins, mes robes et mes manteaux ne ressortent pas froissés quand je voyage. Un peu lourd, j'en conviens, mais on ne fait pas du solide avec du carton, fit remarquer la vieille femme. Et puis on ne part peut-être pas faire une croisière sur le Nil mais en Suisse en cette saison, va savoir comment t'habiller ? Chaud ? Froid ? Là-bas, tout est neutre, même le temps.

Satisfaite de sa définition du climat helvète, Beth ouvrit la porte du four qui tournait à plein régime et en retira la vingtaine de kouignettes dorées à point qui s'y trouvaient. Elle mit aussitôt à cuire une deuxième fournée. Ça embaumait le beurre chaud dans tout l'appartement. Ambroise grignota ses trois biscottes sans réel appétit. Assis sur le bord de la fenêtre, le griffu, tout affairé à sa toilette, buvait les premiers rayons du soleil. La veille, le jeune homme s'était armé de tout son courage pour aller trouver Odile Chambon. Qui avait failli défaillir à la vue de l'amour de sa vie en chair et en os sur le pas de sa porte. Ne pas entrer, surtout ne pas entrer, s'était répété Ambroise au moment où il appuyait sur le bouton de la sonnette. Juste « Bonsoir Odile, pouvez-vous garder le chat quelques jours ? Oui ? Merci, au revoir. » Mais tandis que l'injonction de ne surtout pas foutre les pieds en terrain miné tournait en boucle dans sa tête, Du-Beau-Du-Bon-Du-Chambon l'avait attrapé par le bras et happé à l'intérieur de son antre. Thé ? Café ? Bière ? Champagne ? Asseyez-vous, je vous en prie. Ne pas s'asseoir, surtout ne pas s'asseoir. Café, merci. Avec sucre, sans sucre ? Non, pas sucre, avait-il bredouillé. Des yeux de mante religieuse, elle a des yeux de mante religieuse, avait-il pensé en prenant place sur le canapé du salon. Parle, parle vite avant qu'elle te bouffe, mon vieux.

— L'automne a démarré tôt cette année, vous ne trouvez pas ? J'ai vu qu'ils avaient fait des travaux rue de la Serpentine. Les égouts, je pense. Ou le câble. En ce moment, ils mettent la fibre un peu partout.

Pendant plusieurs minutes, Ambroise avait parlé de tout et de rien, s'abritant derrière un mur de paroles sans queue ni tête. Que foutait Beth ? Ils étaient convenus que s'il n'était pas de retour au bout de dix minutes, elle devait venir le libérer en prétextant une excuse bidon. Le coup de sonnette avait explosé à l'instant où Ambroise arrivait au bout de sa logorrhée. « Bonsoir Odile. Ambroise, tu peux venir, il y a Monsieur Bourdin au téléphone pour toi », avait menti avec aplomb sa grand-mère. Il avait pris congé après s'être excusé auprès de la demoiselle. « C'est bon, pour le chat ? » lui avait demandé Beth tandis qu'ils remontaient dans les étages. Ambroise s'était frappé le front en jurant. Putain, le chat ! Dans la panique, il avait complètement oublié la raison de sa visite à Odile Chambon. C'est la vieille femme qui s'était finalement chargée d'exposer la requête auprès de la gardienne. À défaut du maître, l'idée de pouvoir câliner le chat d'Ambroise Larnier cinq jours durant avait emballé l'énamourée, qui avait accepté avec enthousiasme de s'occuper du matou avant même que Beth ait terminé sa phrase.

Sa dernière biscotte avalée, Ambroise rejoignit la salle d'eau afin de nettoyer ses instruments. Puis, après avoir bouclé sa valise, il enfila sa veste pour aller récupérer le fourgon au dépôt.

— Je serai de retour d'ici une demi-heure, tiens-toi prête. Avec Monsieur Dinsky, nous sommes convenus de partir sur les coups de dix heures. Il ne faudra pas oublier de laisser à Du-Beau-Du-Bon-Du-Chambon la litière et les croquettes.

— Et le chat, faudra pas oublier le chat non plus, le taquina gentiment Beth.

26

Le Mercedes Vito attendait Ambroise sur le parking de l'entreprise. Après avoir récupéré les clés au bureau et transféré le matériel de thanatopraxie de son petit utilitaire au fourgon, il reprit la route. Quelques minutes suffirent au jeune homme pour se familiariser avec son nouveau véhicule. Beth attendait son petit-fils dans l'entrée de l'immeuble. Vêtue de noir des pieds à la tête, la vieille femme avait tout d'une veuve éplorée, excepté le panier de kouignettes suspendu à son bras. Il eut toutes les peines du monde à lui faire retirer la voilette qui tombait devant son visage et les gants noirs qui couvraient ses mains. « Faudrait savoir, on est en deuil ou on n'est pas en deuil », bougonna-t-elle en remisant le voile de tulle et les gants en dentelle dans son sac à main. « On accompagne la famille, on n'est pas *la* famille, Beth », lui expliqua gentiment Ambroise en mettant l'accent sur ce dernier « la » tandis qu'il montait chercher la cantine militaire. Ils retournèrent une dernière fois à l'appartement pour récupérer le griffu, le bac à litière et les croquettes. Odile Chambon les attendait sur son palier, maquillée comme une voiture volée, papillonnant de tous ses clignotants. « Viens voir Odile, mon gros lapin », susurra-t-elle en arrachant le matou des bras d'Ambroise. « Maman va bien s'occuper de toi, tu verras. On va être bien tous les deux en amoureux », ajouta-t-elle en tentant de planter ses yeux fardés dans ceux fuyants du jeune homme. « Je lui ai fait un far, l'interrompit Beth. Je vous le dépose sur le buffet. Surtout, ne lui donnez pas tout d'un coup, ajouta-t-elle, car après il lui faut la semaine pour s'en remettre. » Sur la route qui les amenait chez Samuel Dinsky, la vieille femme ne put cacher son inquiétude :

— J'espère que ça va aller. Elle l'a appelé mon lapin, tu as entendu ?

— Entre nous, ça n'a pas eu l'air de beaucoup le gêner. Tu ne serais pas un peu jalouse, par hasard ?

— Jalouse de quoi ? Je n'aime pas les chats, je te rappelle.

— Et si elle avait raison. C'est peut-être bien un lapin, le griffu, avec sa petite queue. Faudra essayer les carottes en rentrant.

— Mon Dieu que tu es bête. Bon, et ce Monsieur Dinsky, il est comment ?

— Il n'a pas l'air beaucoup plus en forme que son jumeau décédé mais il est charmant, tu verras. Et sa forêt noire vaut ton kouign-amann.

— Tu crois qu'il me laissera devant ? Ça me barbouille, les transports.

— Il y a trois places à l'avant, au cas où tu n'aurais pas remarqué. Le siège arrière à côté du caisson funéraire, c'est pour le quatrième porteur lors des enterrements.

Le portail était ouvert. Ambroise gara le fourgon dans la cour devant le pavillon et demanda à Beth d'attendre dans le véhicule. Samuel Dinsky semblait encore plus affaibli que la semaine précédente. L'homme flottait dans un costume deux fois trop grand pour lui. Les cheveux blancs qui clairsemaient son crâne étaient soigneusement peignés. Un reste de mousse à raser ornait l'une de ses joues. Ambroise n'osa pas lui en faire la remarque. Il le débarrassa de son bagage, une valise moitié toile moitié cuir qui le surprit par sa légèreté. Samuel Dinsky contempla longuement le salon qu'il venait de quitter avant de faire le tour de chaque pièce une dernière fois, s'assurant que les volets étaient bien fermés, les lumières bien éteintes. Après avoir verrouillé la porte, il déposa la clé sous le pot de géraniums qui décorait l'entrée. L'homme grimaça et dut saisir le bras d'Ambroise pour descendre les quelques marches du perron. La clarté du dehors redoubla la violence de sa migraine. Les rayons du soleil pénétraient ses rétines comme autant d'aiguilles chauffées à blanc. Il se retourna une dernière fois pour contempler de ses yeux plissés la maison dans laquelle il avait passé la plus grande partie de sa vie. Puis le vieil homme prit place aux côtés de Beth qui s'était glissée sur le siège central.

— Élisabeth, se présenta celle-ci en lui tendant la main, votre accompagnatrice.

— Enchanté Madame. Samuel Dinsky, pour vous servir.

— Permettez ?

Après avoir tiré un mouchoir de son sac à main, Beth entreprit de nettoyer la joue de son voisin.

— Feu mon mari était coutumier du fait lui aussi. Il ne se passait pas de matin sans qu'il oublie un reste de mousse à raser sur sa figure. Et quand ce n'était pas sur la joue, c'était au bout de l'oreille, sur le menton ou parfois même carrément sur le bout du nez.

— Merci Madame.

— Beth, appelez-moi Beth, ça me fera plaisir.

— Merci, Beth.

Morges était à moins de six heures de route, sept heures en comptant les arrêts. Si tout allait bien Ambroise avait calculé qu'ils atteindraient l'hôtel sur les rives du Léman dans l'après-midi. Le jeune homme se félicita d'avoir choisi de partir en milieu de matinée, entre les encombrements de huit heures et la sortie des bureaux à midi. Après avoir traversé les derniers faubourgs, ils empruntèrent l'autoroute en direction du nord.

— Vous faites ça depuis longtemps ? interrogea Samuel.

La question était adressée à Beth.

— Je fais ça quoi ? demanda la vieille femme.

— Le bénévolat, l'accompagnement des familles.

— C'est-à-dire, pour être tout à fait franche avec vous, vous êtes mon premier.

Ambroise coupa court à la conversation en se jetant sur le bouton de la radio à la recherche du canal 107.7.

— On est vraiment obligé de mettre la radio ? demanda la vieille femme un rien irritée.

— J'aime bien écouter Autoroute Info. En cas de bouchon ou d'accident, on est prévenu.

— Parce que tu n'as pas assez de tes yeux pour t'en rendre compte ? Eh bien tu me fais là un bien piètre conducteur.

Ambroise jeta un regard noir à sa grand-mère qui s'installa dans un silence boudeur. Un peu plus tard, le panneau *Prochaine sortie : Pont du Gard* tira Samuel de sa léthargie.

— Pardonnez-moi, Monsieur Larnier, mais serait-ce trop vous demander de faire un petit détour par le pont ? Il y a une éternité que je ne l'ai pas vu.

— Oh oui, s'enthousiasma Beth en frappant dans ses mains comme une gamine à qui on vient de promettre un tour de manège.

— C'est-à-dire, la route est encore longue et je n'aimerais pas arriver après la tombée de la nuit.

— Ça ne fait pas un gros détour. Et puis en tant qu'ordonnatrice bénévole pour l'accompagnement des familles, je trouve que c'est une très belle idée qui ne peut qu'adoucir la peine de Monsieur Dinsky.

— Samuel, appelez-moi Samuel.

Ces deux-là semblaient bien partis pour s'entendre comme larrons en foire. Vaincu par deux voix contre une, Ambroise emprunta la sortie numéro 23 en direction de Remoulins, non sans avoir une nouvelle fois foudroyé du regard sa grand-mère. Il eut le désagréable pressentiment que son estimation de l'heure d'arrivée n'avait pas fini d'être revue à la hausse. Ils ne reprirent la route que sur les coups de midi, après que Samuel eut contemplé une dernière fois les vieilles arches de pierres se découpant sur l'azur du ciel.

27

Le premier arrêt pour satisfaire les besoins naturels fut demandé conjointement par Beth et Samuel au kilomètre quatre-vingt-seize, au niveau de l'échangeur de Montélimar Sud. Sous les suppliques de plus en plus pressantes de ses passagers, Ambroise se vit dans l'obligation d'appuyer sur le champignon pour rejoindre la sortie la plus proche.

— Il va y avoir un orage, j'ai vu un éclair, fit remarquer Beth.

— Il me semble bien que moi aussi, confirma Samuel.

— C'est drôle pourtant, il n'y a pas un seul nuage, constata la vieille femme en approchant son visage du pare-brise pour scruter le ciel.

— Peut-être un éclair de chaleur, proposa son voisin.

— Il fait à peine vingt degrés. C'est quand même pas très chaud, vingt degrés, pour des éclairs de chaleur. Et puis c'est plutôt le soir, les éclairs de chaleur.

Concentré sur sa conduite, Ambroise ne prit pas la peine d'expliquer aux deux petits vieux que cet éclair ne provenait pas du ciel mais du radar fixe qui venait d'immortaliser l'instant où l'utilitaire de chez Roland Bourdin et Fils atteignait la vitesse plus que respectable de cent cinquante-huit kilomètres heure. Il s'engagea sur la bretelle qui menait à l'aire de Montélimar Est et sauta sur la première place de stationnement disponible. Le jeune homme regarda en souriant Samuel et Beth clopiner de concert jusqu'aux toilettes. Tandis qu'il descendait pour étirer ses membres, son attention se trouva attirée par la voiture couleur vert pomme qui se garait à une centaine de mètres plus en amont. Il avait remarqué le même véhicule tout à l'heure sur le parking du pont du Gard. Rien d'exceptionnel à cela. Quelque chose le titillait cependant. Un vert pareil ne s'oubliait pas et il était certain d'avoir déjà aperçu cette bagnole, sans parvenir à se remémorer où. Beth le tira de ses réflexions lorsqu'elle revint des toilettes.

— Je crois bien qu'on l'a perdu, annonça-t-elle ennuyée.

— Comment ça, on l'a perdu ?

— Ben Samuel, je ne l'ai pas vu ressortir. Il devrait déjà être là.

— Surtout ne bouge pas d'ici, je vais voir.

Ambroise traversa le parking au pas de course et se précipita vers les wc pour hommes. Vu l'état de faiblesse dans lequel se trouvait l'octogénaire, l'éventualité d'un malaise n'était pas à écarter. Tout en l'appelant par son nom, le jeune homme se pencha pour regarder sous les portes des cabines, s'attendant à tout moment à découvrir un corps affalé sur le sol carrelé. Il finit par retrouver le vieil homme près de l'entrée du magasin de la station-service, en arrêt devant le présentoir des lunettes de soleil.

— Monsieur Dinsky, il va falloir y aller. Quelque chose ne va pas ? s'inquiéta Ambroise apercevant les grosses larmes qui roulaient sur les joues creuses du vieillard.

— Ça va. Ça va aller, ce n'est rien, ne vous inquiétez pas. Juste des mauvais souvenirs qui m'ont rattrapé.

L'homme paraissait totalement ébranlé et Ambroise dut le soutenir pour rejoindre le véhicule.

Devant le regard inquiet de sa grand-mère, le jeune homme la rassura. « Tout va bien », lui glissa-t-il en reprenant place derrière le volant. D'un signe discret de l'index sur sa bouche, il fit comprendre à Beth que le mieux pour l'instant était de garder le silence et de laisser le vieillard se remettre de ses émotions. Tandis qu'il lançait l'utilitaire sur la voie d'accélération pour s'immiscer dans le flot de la circulation, il aperçut dans son rétroviseur leur poursuivant faire de même. Pure coïncidence, se persuada-t-il, même si le malaise persistait concernant cette bagnole qui leur collait aux pneus depuis le départ. Il n'y avait qu'un moyen d'en avoir le cœur net. Comme il l'avait maintes fois vu au cinéma, Ambroise réduisit peu à peu sa vitesse, passant de cent trente à moins de cent dix puis accéléra brutalement avant de ralentir de nouveau. Dans le rétroviseur, la voiture verte grossissait, fondait puis grossissait de nouveau en fonction des accélérations et décélérations successives, son conducteur tentant de maintenir tant bien que mal la centaine de mètres qui le séparaient du fourgon. Aucun doute, ils étaient suivis. Que pouvait-on leur vouloir pour rester ainsi vissé dans leur sillage sur autant de kilomètres ? Il ne se connaissait pas d'ennemis, ne détenait pas de secrets à révéler et il en allait de même pour sa grand-mère. Mais était-ce le cas de Samuel Dinsky qui, sous des abords d'octogénaire inoffensif, menait peut-être une double vie ? Ils roulaient depuis plus d'une demi-heure lorsque, une nouvelle fois, Beth l'arracha à ses pensées.

— Il est une heure et demie passée. Je ne sais pas ce qu'en pense Samuel mais nous pourrions peut-être nous arrêter pour manger un peu, proposa-t-elle.

— On passe Valence et on s'arrête, la rassura Ambroise. Sur la prochaine aire, il y a un restaurant autoroutier, si ça convient à Monsieur Dinsky.

— Comment ça, un restaurant autoroutier ? Et puis quoi encore, s'étrangla Beth. Une aire de pique-nique fera très bien l'affaire. J'ai préparé un panier pour tout le monde. C'est aussi dans les attributions de l'accompagnatrice que de s'occuper du bien-être des proches, ajouta-t-elle en direction de son petit-fils, de la malice dans la voix.

— Mais Monsieur Dinsky préfère peut-être le confort d'un restaurant à une table de pique-nique.

— Pas du tout, au contraire. Cela fait des lustres que je n'ai pas mangé au grand air. Et même si je n'ai plus guère d'appétit, je serai ravi de faire honneur à ce que vous nous avez préparé, Beth, la flatta Samuel.

Deux voix contre une. Une fois de plus, Ambroise dut se ranger à la majorité. À la vue du panneau annonçant l'aire de repos Les Fruitiers, le jeune homme se rabattit sur la file de droite.

— Voilà un joli nom pour un endroit où pique-niquer, s'enthousiasma la vieille femme.

En cette saison, le parking était presque désert et les quelques tables et bancs disséminés sur les pelouses fatiguées après un été de piétinement intensif étaient tous inoccupés. Ambroise gara le Vito à l'ombre d'un arbre, coupa le contact et descendit. Là-bas, la voiture de leur poursuivant s'était arrêtée à l'entrée de l'aire de repos, moteur au ralenti. Le jeune homme prit le parti de l'ignorer, espérant secrètement que le type allait finir par se lasser de son stupide jeu du chat et de la souris.

— Où as-tu rangé le panier ?

— Dans le caisson, derrière.

— Comment ça, dans le caisson ? Quel caisson ? s'étrangla Ambroise, craignant d'avoir trop bien compris de quel caisson Beth voulait parler.

— Ben le réfrigéré, tu en connais d'autres ? On a la chance de promener une glacière ambulante et tu aurais voulu que je ne l'utilise pas pour conserver mes salades et mes terrines à l'abri de la chaleur.

— J'le crois pas, éructa le jeune homme en se ruant sur le hayon arrière.

À son grand soulagement, le casier réfrigéré réservé au transport des corps était vide.

— Vous avez vu comment il a marché. Au quart de tour, mon Ambroise, le moqua-t-elle gentiment.

Depuis tout petit, il a toujours été comme ça. La naïveté d'un ange. Qu'est-ce que ça pouvait énerver son père d'ailleurs, cette propension à tomber dans le panneau, même si, entre nous, je considère plutôt que cela reflète une certaine grandeur d'âme. Mais non grand bêta, tout est dans le sac isotherme posé sur le siège arrière.

— Vous le connaissez bien, on dirait? lui fit remarquer Samuel tandis que les deux vieux foulaient la pelouse en direction des tables.

— Pour tout vous dire, je suis sa grand-mère mais chut, dans le travail, il préfère que l'on s'en tienne à une relation purement professionnelle.

Ils portèrent leur choix sur la table la plus abritée du soleil afin d'éviter à Samuel de trop souffrir de l'éclat de ses rayons. Beth déploya une grande nappe en tissu vichy avant de disposer les couverts.

— Pique-nique ou pas, on n'est pas des sauvages. Les nappes en papier, les assiettes en carton et les gobelets en plastique, ça ne tient pas le vent et ça ne fait rien d'autre que vous affadir la nourriture et dégrader le vin. J'ai préparé de la rémoulade maison, de la salade de concombre et des rondelles de cœur de bœuf avec de la mozzarella, énonça la vieille femme tout en déballant les victuailles au fur à mesure de leur présentation. Il y a des rillettes de canard et du pâté de foies de volaille. Pour ceux qui préféreraient du poisson, j'ai fait de la terrine de saumon. Tout maison. Pour le fromage, j'ai pensé qu'un Pavé d'Affinois, un morceau de tomme de Savoie et une part de Brie pouvaient suffire à faire l'affaire. Et pour accompagner tout ça, un Saint-Joseph. C'est bien, un Saint-Joseph, qu'en dites-vous ?

Sonnés à la vue de tant de profusion, Ambroise et Samuel ne surent que répondre.

— Regardez-moi ce temps splendide ! L'automne est vraiment une bonne saison pour partir, fit remarquer Beth tandis qu'elle couvrait une première tranche de pain de campagne d'une généreuse couche de rillettes.

— Une bonne saison pour partir, reprit Samuel dans un murmure.

28

Comme il l'avait promis, Samuel fit honneur aux mets préparés par Beth. Il dégusta un peu de chacun d'eux, se laissant même aller jusqu'à reprendre une deuxième assiette de rémoulade. La vieille femme insista pour qu'il trempe ses lèvres dans le Saint-Joseph et il finit par accepter le fond de verre qu'elle lui tendait. Légèrement à l'écart, Ambroise mangeait debout, observant du coin de l'œil la voiture verte. À cette distance, il ne parvenait à distinguer du conducteur qu'une silhouette sombre au travers du pare-brise. Quand arriva l'heure du fromage, Samuel dut se rendre à l'évidence qu'il avait surestimé les capacités de son estomac à recevoir autant de nourriture, aussi excellente soit-elle. La douleur vrillée dans ses tempes se fit plus lancinante que jamais et, pris de haut-le-cœur, il s'excusa et quitta la table pour se diriger d'un pas flageolant vers les toilettes. Beth se précipita à ses côtés en lui offrant son bras. « C'est bon, je m'en occupe », cria-t-elle en direction de son petit-fils tandis qu'elle accompagnait le vieil homme jusqu'au bâtiment situé à une trentaine de mètres de là. Ambroise acquiesça avant de reporter précipitamment son attention vers l'objet de son observation. La tache verte en limite de son champ de vision avait bougé. Le véhicule de leur poursuivant s'était mis en mouvement et remontait le parking à vive allure. Contre toute attente, la voiture vint se ranger contre le Mercedes Vito dans un crissement de pneus. Le cœur d'Ambroise se mit à battre la chamade. Dans un réflexe issu de la nuit des temps, il serra les poings, prêt à en découdre. Le moteur ratatouilla deux fois avant de se décider à caler. Étrangement, l'image que la Polo et sa couleur étrange n'étaient jusqu'à présent pas parvenues à éveiller en lui, celle d'une jeune femme en furie et en larmes le bousculant après l'avoir copieusement invectivé, le fut par le drôle de hoquet enfumé qu'émit la bagnole en calant. Et alors que cette même jeune femme descendait du véhicule et se dirigeait vers lui d'un pas décidé, il se fit la réflexion qu'elle était encore plus belle que dans son souvenir. Un peu moins d'un mètre soixante-dix pour cinquante-cinq kilos, évalua-t-il de son œil entraîné. Tunique légère, jean, mocassins souples, les vêtements qu'elle portait affichaient une décontraction que sa démarche nerveuse démentait. Elle vint planter son regard dans les yeux d'Ambroise.

— Écoutez, je crois savoir pour le connaître qu'il ne voudra rien entendre mais vous ne pensez pas qu'il existe d'autres alternatives à son problème que celle que vous vous apprêtez à commettre ?

— Ambroise. Ambroise Larnier, se présenta-t-il.

Elle poursuivit sur le même ton sec, ignorant la main qu'il lui tendait.

— Combien il vous a payé pour ça, hein, combien ? C'est marrant, je croyais que les pompes funèbres ne s'occupaient que des morts et pas des vivants, ironisa-t-elle.

— Écoutez, ça ne sert à rien de vous énerver. Nous ne faisons qu'appliquer les volontés de Monsieur Dinsky, comme nous avons pour habitude de le faire avec nos clients. Je ne sais pas de quelle alternative vous voulez parler mais on a toujours procédé ainsi et je ne vois vraiment pas où est le problème.

— Le problème ? Moi, je vais vous dire où il est, le problème : je vois un vieil homme pas vraiment en état de supporter un voyage pareil, un homme qui n'a peut-être plus tout son jugement, encouragé dans son projet par des gens dont le but premier est le profit, le profit et rien d'autre.

— Bon, je vous accorde que Monsieur Dinsky a peut-être un peu présumé de ses forces quant à ses capacités à supporter un tel voyage et nous également par la même occasion mais…

— Présumé de ses forces, présumé de ses forces, non mais vous vous entendez là ? Sans être un spécialiste, vous deviez bien vous douter que les gens qui en arrivent à de telles extrémités sont rarement dans une forme olympique.

Elle avait une manière étrange de répéter deux fois les mots, ce qui ne la rendait que plus fascinante à ses yeux.

— Au risque de vous choquer, mais il semble de toute façon que tout ce qui sort de ma bouche vous choque, on n'est pas là pour juger les volontés d'un être dans la douleur. Et dans la mesure où sa demande n'a rien d'exceptionnel, nous avons estimé tout à fait normal d'y répondre favorablement, point.

C'était la première fois qu'Ambroise s'entendait tenir de tels propos. Qu'est-ce que c'était que ce discours à la con de bonimenteur de foire qu'il lui débitait ? C'était bon pour Bourdin, ça, pas pour lui, mais elle le poussait à bout aussi, à lui crier dessus comme s'il était le dernier des voyous.

— Les volontés d'un être dans la douleur. Vous me donnez envie de gerber avec vos belles formules toutes faites.

— Écoutez Manelle…

— Ah parce que vous connaissez mon prénom en plus. Alors ça, c'est la meilleure ! Monsieur le Croque-Mort connaît mon prénom.

— Je ne suis pas croque-mort, protesta le jeune homme faiblement.

— Ah non, bien sûr. Faut vous appeler comment, alors ? Monsieur le Grand Ordonnateur des Pompes Funèbres. Ou Charon, tiens, comme le passeur qui transporte l'âme des morts à travers le fleuve Styx sur sa barque pourrie, ça vous irait bien ça, Charon !

Au même moment, Samuel, de retour des toilettes, vint s'échouer sur le banc, toujours agrippé au bras de Beth. L'octogénaire avait recouvré des couleurs, comme après chaque crise de vomissements. L'étau qui emprisonnait sa tête s'était desserré quelque peu. À la vue de son aide à domicile, le visage du vieil homme s'éclaira d'un sourire.

— Vous avez changé d'avis ? s'enflamma-t-il, de l'espoir dans la voix.

— Même si je pense toujours que vous faites une erreur, je ne pouvais pas vous abandonner comme ça, dit-elle en lui saisissant les mains. Après être partie l'autre jour comme une voleuse, je me suis sentie honteuse. Je veux bien vous accompagner mais à une seule condition, Monsieur Samuel-Dinsky-qui-ne-veut-rien-entendre : que vous me permettiez d'essayer de vous faire changer d'avis autant de fois qu'il me sera possible de le faire, lui chuchota-t-elle à l'oreille.

— Si c'est là tout le prix à payer pour avoir le bonheur de vous avoir à mes côtés, alors d'accord, mais j'ai moi aussi ma condition.

Ce disant, le vieil homme se releva et emmena Manelle à l'écart pour se trouver hors de portée de voix.

— J'aimerais que tout ça reste un secret entre nous le plus longtemps possible. Le jeune homme que vous voyez là, charmant jeune homme au demeurant, n'est en rien au courant de mon projet. La version officielle est que nous nous rendons en Suisse pour ramener au pays le corps de mon frère jumeau décédé. Ni plus, ni moins.

Manelle s'étouffa.

— Vous voulez dire que ce type ne connaît rien de vos intentions, rien de l'association Délivrance, qu'il n'a aucune idée du but de ce voyage ?

— Absolument aucune.

— Mais pourquoi inventer cette histoire de jumeau ?

— Pourquoi ? Mais tout simplement parce qu'il était beaucoup plus simple de mentir que de dire la vérité. Vous connaissez beaucoup de sociétés funéraires qui auraient dit : ok, on vous emmène vivant et on vous ramène mort, pas de souci. L'aller assis à l'avant, le retour couché à l'arrière. Niveau déontologique, ça n'était pas acceptable. Je me suis dit qu'une fois devant le fait accompli, le mensonge n'aurait plus d'importance. Il n'aura d'autre choix que celui de ramener mon corps pour que le dernier des Dinsky rejoigne le caveau familial. Et j'ai payé suffisamment cher pour que la société qui l'embauche se sente moralement engagée et que le travail soit fait jusqu'au bout.

— Je l'crois pas, lâcha Manelle dans un souffle. Samuel Dinsky, vous êtes le plus grand menteur que je connaisse, le gronda-t-elle affectueusement en agitant l'index comme on réprimande un enfant.

— Qui est-ce? demanda Beth à son petit-fils tandis qu'elle rangeait les reliefs du repas tout en jaugeant la jeune femme du coin de l'œil.

— Une fée, un démon, peut-être les deux, je n'en ai aucune idée, répondit Ambroise troublé.

29

Beth rapporta du fourgon la thermos de café et le panier de kouignettes qui s'y trouvaient.

— Sortir d'un repas sans avoir pris le dessert, c'est comme de revenir de la messe sans être allé communier, asséna-t-elle en déposant les gourmandises caramélisées au milieu de la table.

Samuel attendit que la vieille femme ait regagné sa place pour faire les présentations.

— Manelle, j'ai le plaisir de vous présenter Élisabeth, qui consacre son temps et son savoir-faire à l'accompagnement des familles...

— Beth, il faut m'appeler Beth.

— … et Ambroise, notre chauffeur, mais vous avez déjà eu l'occasion de lier connaissance, à ce qu'il me semble.

— Si on veut, bredouilla Manelle en se triturant les mains.

Le brusque changement de comportement de la jeune femme désorienta Ambroise. Toute l'animosité dont elle faisait preuve à son égard quelques minutes auparavant semblait s'être volatilisée comme par enchantement, remplacée par une gêne évidente.

— Manelle est la personne chargée de m'assister dans la vie de tous les jours, poursuivit Samuel.

— Une infirmière privée ? interrogea Beth.

— Pas tout à fait, non. Manelle est ce qu'on appelle une aide à domicile. Elle vient à la maison une heure par jour afin de s'occuper des tâches que l'âge m'interdit d'accomplir. Je ne vous cacherais pas que dans la réalité, elle est devenue beaucoup plus que ça. Elle a su faire de cette heure une fête. Et avec le temps, j'ai fini par rêver en elle la petite-fille que je n'ai jamais eue. Une petite-fille qui viendrait tous les jours de la semaine saluer son grand-père, lui tenir un bout de conversation, manger avec lui parfois. J'en suis venu à ne plus vivre que dans l'attente de cette heure passée à respirer sa présence, à écouter sa voix, à entendre son rire, à partager ses coups de gueule, ses coups de cœur. Aussi j'avais trouvé tout naturel de lui demander de m'escorter dans ce drôle de périple funèbre que nous faisons aujourd'hui. Je ne savais pas alors que j'allais bénéficier de la présence d'une accompagnatrice telle que vous, Beth.

La Beth en question rougit et se tortilla de contentement sur son banc.

— Elle s'est d'abord fâchée et a refusé, arguant que, dans mon état, un tel voyage était pure folie mais il semble qu'elle ait compris à présent que cet acte me tenait à cœur plus que tout et elle a finalement décidé de se joindre à nous.

Tout en disant cela, le vieil homme avait saisi la main de Manelle. Malgré l'épuisement qui marquait ses traits, il trouva la force de lui sourire.

— Même si je continue de penser que ce voyage est tout sauf raisonnable, déclara la jeune femme en regardant Samuel avec gravité.

Si le vieil homme, au vu de ses problèmes digestifs, échappa naturellement aux kouignettes, son aide à domicile, en revanche, ne put s'y soustraire. N'ayant rien avalé depuis le matin, elle accepta volontiers les pâtisseries et plongea à plusieurs reprises la main dans le panier. Des pâtisseries qu'elle fit passer avec de grandes gorgées de café tout en s'extasiant sur leur qualité gustative.

« C'est vraiment très bon », conclut-elle. À cet instant, Manelle Flandin, aide à domicile de son état, venait sans le savoir de passer du bon côté du monde, selon les critères de jugement de la vieille femme qui lui faisait face en la couvant des yeux.

Au moment de repartir, Manelle insista pour prendre Samuel à bord de sa voiture. Il restait un peu moins de quatre heures de route pour atteindre Morges. Quatre heures, l'unique et dernière chance pour elle de tenter de détourner le vieil homme de son funeste projet. La Polo en décida autrement. Sous les coups de démarreur, le moteur toussa puis s'étouffa avant de se taire définitivement au milieu des odeurs d'huile et des vapeurs d'essence. La jeune femme frappa le volant à plusieurs reprises en jurant.

— Bordel, j'le crois pas, il faut que ça m'arrive maintenant. C'est pas vrai, merde !

— C'est pas grave, Manelle, ce n'est que du matériel, la consola l'octogénaire assis à ses côtés.

— Mais c'est pas le problème, vous ne comprenez pas ? s'énerva-t-elle tout en continuant à actionner le démarreur.

— Arrêtez, pas la peine d'insister, c'est mort, décréta Ambroise.

La grosse flaque de liquide de refroidissement qui s'étalait sous la voiture en disait suffisamment long sur la gravité de la panne.

— Et c'est un type des pompes funèbres qui m'annonce que c'est mort, explosa la jeune femme dans un rire hystérique.

Elle posa la tête sur le volant en gémissant.

— Fait chier.

Tous les espoirs que le long tête-à-tête à venir avec le vieil homme avait fait naître en elle s'envolaient d'un coup.

— Écoutez, si ça ne vous gêne pas de laisser votre voiture sur le parking, on peut tenir sans problème à quatre dans le corb… dans le fourgon, se reprit le jeune homme. Et pour la voiture, on verra avec une dépanneuse en revenant, on trouvera une solution.

Oui, et même qu'en revenant, nous ne serons plus que trois dans le fourgon, si l'on estime que les morts comptent pour du beurre. On sera à notre aise, à trois, eut-elle envie de hurler à la face de ce type à la frimousse angélique qui semblait toujours d'humeur égale quelles que soient les circonstances. Vaincue, Manelle dut se rendre à l'évidence: elle n'avait plus vraiment d'autre choix que celui d'accepter la proposition du garçon. Elle sortit du coffre le petit sac de voyage dans lequel elle avait jeté pêle-mêle quelques vêtements avant de partir, verrouilla la voiture et se dirigea vers le corbillard, entourée des deux octogénaires.

Ambroise déplia l'assise latérale qui faisait office de siège arrière. Il passait une nouvelle fois par-dessus le règlement de la maison Roland Bourdin et Fils qui interdisait à bord de ses corbillards et autres véhicules de société toute présence étrangère à l'entreprise. Manelle regarda avec dégoût le caisson réfrigéré qui occupait une partie de l'espace avant de s'asseoir.

— C'est la place du quatrième porteur, lui expliqua Beth en se retournant pour tapoter le genou de la jeune femme avant d'aider Samuel à boucler sa ceinture, trop heureuse de retrouver son voisin de droite.

Ils reprirent la route. L'habitacle s'emplit bientôt des ronflements des deux octogénaires qui s'endormirent presque simultanément, bercés par le doux ronron du moteur et le filet de musique qui sortait de l'autoradio. Ambroise balayait des yeux à intervalles réguliers le rétroviseur central à la recherche de ceux de la jeune femme mais celle-ci, à chaque fois, fuyait son regard. Pendant près d'une demi-heure, chacun attendit que l'autre prenne la parole. La gêne était palpable de part et d'autre. Ce fut finalement Ambroise qui se jeta à l'eau tandis qu'ils traversaient Grenoble.

— Il y a longtemps que vous êtes à son service ?

— Je n'ai jamais réellement eu l'impression d'être à son service, avoua-t-elle. Avec lui, la vie paraît tellement douce, simple, sucrée. Jamais un mot plus haut que l'autre, toujours attentionné. J'en viens même de plus en plus souvent à me demander qui est au service de qui dans cette histoire. Et vous, il y a longtemps que vous faites ce métier ?

— Bientôt cinq ans.

— Et pourquoi ?

— Pourquoi quoi ?

— Pourquoi les morts et pas les vivants ?

Il perçut une pointe de sarcasme dans le ton de la jeune femme.

— La réalité, c'est que je ne fais pas ça pour ceux qui partent mais pour ceux qui restent. La thanatopraxie, c'est…

— La quoi ?

— La thanatopraxie, l'art d'embaumer les morts, si vous préférez.

— Parce que vous faites ça aussi, embaumer les morts ?

— Je fais ça surtout.

— J'le crois pas, grimaça-t-elle comme si elle s'adressait soudain au dernier des scélérats.

— Mais qu'est-ce que vous croyez ? s'emporta Ambroise. Qu'il y a deux catégories de gens dans la vie, les bons et les méchants, ceux qui s'occupent des vivants et ceux qui s'occupent des morts, les êtres à sang chaud et ceux à sang froid. Que parce que je soigne, oui, mademoiselle, on dit soigner aussi pour ça, que parce que je soigne des défunts, des dépouilles, des cadavres, des macchabées, appelez ça comme vous voulez, je ne vaux pas plus que la vermine qui les envahit si je n'interviens pas. Oh bien sûr, les gentilles aides à domicile comme vous ne peuvent pas comprendre. Vous êtes comme mon père, persuadée d'être du bon côté du fleuve et le type d'en face est un nullos aussi insensible que les corps qu'il traite. Mais c'est justement parce que je suis trop sensible que je soigne les morts, figurez-vous. J'ai bien essayé les vivants mais leur souffrance m'était insupportable. Je déteste voir des gens mourir, vous pouvez le croire, ça ? Et puis je vous le répète, je fais ça pour ceux qui restent, pour leur éviter d'avoir à regarder la mort en face dans ce qu'elle a de plus répugnant. Alors si vous me demandez pourquoi je fais ce métier, je vais vous répondre d'un exemple : parce que c'est plus facile pour une mère d'embrasser le front d'un fils qui paraît dormir dans une éternité paisible que de rester hantée tout le reste de sa vie par l'image d'un visage ravagé dans la mort. Et si ma réponse ne colle pas à ce que vous attendiez, désolé, mais c'est la mienne et vous n'en aurez pas d'autres.

Ambroise se replia sur lui-même, les yeux rivés sur la ligne d'horizon. Manelle attarda son regard sur ce visage verrouillé, comme si elle le voyait pour la première fois. En cet instant, elle le trouva beau. Ce garçon qu'elle avait jugé lisse et transparent venait de révéler les facettes d'une personnalité qu'elle n'avait pas soupçonnée. Derrière une apparence de gentil mou, se cachait en réalité une sensibilité à fleur de peau. La façon dont ses yeux avaient brasillé tandis qu'il s'enflammait laissait la jeune femme sous le charme.

— Pardon, je ne voulais pas vous froisser, s'excusa-t-elle.

— C'est rien, c'est moi, je n'aurais pas dû m'emporter comme ça, je suis désolé.

Beth et Samuel mirent un terme à cet échange d'excuses en se réveillant. Les deux vieillards s'étirèrent de concert avant de quémander au chauffeur une nouvelle pause toilettes.

30

Il était plus de dix-sept heures lorsqu'ils arrivèrent au poste-frontière marquant l'entrée en Suisse. De son accent nonchalant, et quelque peu intrigué par cette drôle d'équipée à bord de ce qui avait tout l'air de ressembler à un corbillard, le douanier interrogea Ambroise sur le but de leur voyage. Le jeune homme expliqua la raison de leur présence, le court séjour à Morges suivi du rapatriement du corps du frère de Monsieur Dinsky vers la France.

— Vous comptez prendre l'autoroute ? interrogea le douanier en scrutant le pare-brise à la recherche de la vignette.

— Non, on a prévu d'emprunter la nationale le long du lac.

Ce pingre de Bourdin avait voulu faire l'économie de l'achat du sésame. « Rien à déclarer? » demanda encore le fonctionnaire sur un ton suspicieux. Un glioblastome multiforme, eut envie de lui balancer à la figure Manelle. « Non », répondit Ambroise, soutenu dans son affirmation par Beth et Samuel qui remuèrent énergiquement la tête en cœur de gauche à droite, ce qui eut aussitôt pour effet de rendre l'homme plus suspicieux encore.

— Pouvez-vous m'ouvrir le hayon du véhicule, s'il vous plaît.

Ambroise obtempéra, non sans montrer quelques signes d'agacement. L'autre lui fit sortir ses mallettes et déballer tout son matériel de thanatopracteur. L'agent des douanes balada son regard aiguisé sur les instruments, les flacons, examina les pompes avant d'autoriser le jeune homme à remiser ses outils à leur place.

— Puis-je voir vos papiers, s'il vous plaît messieurs dames?

Le type avait décidé de faire du zèle. Beth en panique mit près de cinq minutes à retrouver sa pièce d'identité emprisonnée au fond de son portefeuille entre sa carte vitale et sa carte d'électeur. Le douanier éplucha avec soin les quatre documents.

— Monsieur… Dinsky, c'est bien ça ? Il faudra penser à faire renouveler votre carte d'identité, Monsieur Dinsky. Elle n'est plus valable depuis plus de six mois.

Il rendit le tout à Ambroise et les libéra en lâchant un « C'est bon pour cette fois » magnanime.

— Eh bien elle est belle l'Europe, s'indigna Beth tandis qu'ils reprenaient la route. Vous avez vu comment il nous a traités ? Comme si on était de véritables malfrats. Et cette manière de prendre tout le monde de haut, avec sa casquette ridicule. Et son « C'est bon pour cette fois », sous-entendu au prochain passage, ce sera la prison sans passer par la case départ, non mais on est où là ?

— En Suisse, Beth, en Suisse, la calma tendrement Samuel.

Comme le craignait Ambroise, ils se retrouvèrent englués dans les bouchons genevois et mirent plus de vingt minutes à traverser le pont du Mont-Blanc, ce qui laissa à Beth tout le temps d'admirer le jet d'eau.

— Bon, ils ont des douaniers antipathiques mais il faut bien admettre qu'en matière de jet d'eau, c'est les meilleurs ! reconnut-elle les yeux rivés sur le panache blanc qui s'élevait haut dans le ciel.

La circulation sur la nationale entre Genève et Morges se révéla plus fluide que prévue et le Mercedes

Vito pénétra sur le parking du Régent un peu avant dix-neuf heures, à l'instant où la nuit venait embrasser les eaux du lac. Ils s'engouffrèrent dans le hall immense. De grands miroirs ornaient les murs. L'éclairage finement tamisé qui tombait des hauts plafonds teintait le marbre des colonnades de couleurs chaudes. Une moquette épaisse étouffait les pas. L'endroit respirait le luxe. La réceptionniste confirma les trois réservations. Chambre 101 au premier étage pour Samuel, la 103 pour Beth et la 236 pour Ambroise au deuxième. L'hôtel étant complet, Beth proposa à la jeune femme de partager sa chambre avec elle. Manelle accepta.

— Si la taille des pièces est proportionnelle à celle de la réception, on ne risque pas de se marcher dessus, plaisanta la vieille femme.

Le porteur qui monta les bagages dans les étages ne put dissimuler son étonnement devant la cantine militaire de Beth. « Ça doit vous changer du Vuitton », lui concéda la vieille femme. Manelle accompagna Samuel jusqu'à sa chambre. L'octogénaire s'affala au bord du lit, à bout de force. L'aide à domicile toucha son front. Il était moite de sueur.

— Vous avez de la fièvre. Vous avez emporté vos médicaments ? demanda-t-elle.

— Oui, le semainier est dans la trousse de toilettes. Je me demande bien pourquoi je l'ai pris d'ailleurs. Un réflexe idiot.

— Moi je vais vous dire pourquoi vous l'avez pris, ce pilulier, Samuel Dinsky : parce que quelque chose au fond de vous continue d'y croire. Quelque chose qui vous dit que malgré la douleur, des journées comme celle d'aujourd'hui valent peut-être encore la peine d'être vécues.

— Si vous le dites, murmura le vieil homme sans conviction.

— Vous voulez manger quelque chose ?

— Pas faim.

— Alors il faut vous coucher, lui intima-t-elle gentiment en lui tendant les deux cachets accompagnés d'un verre d'eau. Vous êtes épuisé. Et pour la douche, nous verrons demain.

Devant les difficultés de l'octogénaire à se déshabiller, Manelle l'aida à ôter ses vêtements. Elle fit cela naturellement et sans fausse pudeur. Elle lui retira pantalon, chaussettes, chemise et maillot de corps, glissa son slip à ses pieds avant de lui enfiler son pyjama.

— Et n'abusez pas de la situation, plaisanta-t-elle, si vous ne voulez pas que je me débatte et ameute tout l'hôtel en criant à l'aide.

— Je connais un jeune Apollon qui ne demanderait pas mieux que de se précipiter à votre secours, la taquina Samuel d'une voix fatiguée.

— Je préfère les vieux pleins de sous, lui glissa-t-elle avec malice tandis qu'elle le bordait.

— La responsable de l'association doit venir me prendre à l'hôtel demain à dix heures pour m'emmener passer la visite du médecin. Je compte vraiment sur vous pour m'accompagner, supplia Samuel en cramponnant la main de la jeune femme.

— Promis, mais c'est vraiment parce que je n'aime que les vieux pleins aux as, conclut-elle en embrassant son front et en filant avant que le chagrin ne la submerge.

Manelle rejoignit la chambre voisine où elle trouva une Beth en pleine euphorie occupée à ranger ses vêtements.

— Vous avez vu ça ? Une armoire dans laquelle on peut se balader à l'intérieur, c'est fou !

— Ça s'appelle un dressing, Élisabeth.

— Beth, s'il vous plaît, appelez-moi Beth. Je n'ai jamais aimé mon prénom. Ça fait bonne sœur, Élisabeth, vous ne trouvez pas. C'est étrange tout de même, quand on y réfléchit : Élisa, ça sonne beau, c'est léger, aérien, mais dès qu'on y rajoute Beth, plouf, c'est comme si ça se refermait pour retomber par terre. Et vous, vous devez l'aimer votre prénom. C'est si beau Manelle.

— Oui, sauf qu'à l'école, les garçons avaient la fâcheuse habitude de m'appeler Mamelle.

Les coups frappés à la porte vinrent interrompre les deux femmes dans leur discussion.

— Entrez.

— Bras droit lundi, on est ravi, claironna Ambroise en pénétrant dans la chambre.

— J'avais complètement oublié, confessa la vieille femme penaude en allant chercher la trousse contenant l'insuline.

— Vous voyez, je ne fais pas que de m'occuper des vieux qui sont morts, je pique aussi les vieux en vie, à l'occasion, la provoqua le jeune homme tandis qu'il procédait à l'injection sur sa grand-mère.

— Et avec les jeunes, vous faites quoi ? lui renvoya Manelle du tac au tac.

Beth ne put s'empêcher de sourire devant la mine déconfite de son petit-fils qui rendit les armes, vaincu avant même d'avoir combattu.

— On se retrouve tous en bas pour manger ? proposa-t-il.

— Samuel ne soupera pas. Je l'ai couché, il était trop épuisé pour pouvoir avaler quoi que ce soit.

— C'est pareil pour moi, les enfants. Tout ce voyage m'a mise à plat. Je crois bien que dormir me fera le plus grand bien si je veux garder des forces pour les jours qui viennent. Je vais me caler l'appétit d'une ou deux kouignettes avant de faire dodo et ce sera très bien comme ça. Ne vous occupez pas de moi, les jeunes.

— Ok, eh bien je vous attends dans le hall alors, lança Ambroise à l'intention de la jeune femme avant de quitter la chambre, non sans avoir déposé au passage un baiser sur le front de sa grand-mère.

— Il est toujours prévenant comme ça, avec vous ? demanda Manelle à la vieille dame lorsque le garçon fut parti.

— Je ne dis pas ça parce que c'est mon petit-fils mais c'est le plus gentil des garçons. Et quand je vois comment il prend à cœur son travail, je me dis que les morts qui passent entre ses mains ont vraiment beaucoup de chance.

31

Ambroise était plongé depuis près d'un quart d'heure dans la contemplation de la carte des menus proposés par le restaurant de l'hôtel lorsque Manelle l'arracha à sa lecture. La jeune femme avait pris le temps de se changer. Un chemisier blanc, un gilet bleu nuit passé sur ses épaules, un legging foncé et une paire de baskets en toile aux pieds. Un léger trait de crayon soulignait l'éclat de ses yeux. « Des diamants comme ça n'ont pas besoin d'écrin pour être beaux », lui avait assuré Beth tandis qu'elle se maquillait.

— Vous vouliez manger ici? demanda le jeune homme. Pour ne rien vous cacher, la salle de resto est un peu trop guindée à mon goût et les prix sont comme tout le reste : démesurés. Alors si ça ne vous gêne pas de souper autrement qu'assise dans un fauteuil Voltaire entourée d'une armée de serveurs à l'affût de vos moindres désirs, j'ai vu sur le plan qu'il y avait un restaurant à moins de cinq cents mètres sur les quais, et qui a l'air plutôt sympa, qu'en pensez-vous ?

— Comme vous voulez, je n'ai pas très faim en réalité. Les kounettes de votre grand-mère sont diaboliques.

— Kouignette. On dit kouignette, la reprit Ambroise en souriant.

— Kouinette.

— Non : gnette, comme dans castagnettes. Kou-iiii-gnette. Repeat after me : kou-iiii-gnette.

— Kou-iiii-gnette, le singea la jeune femme.

— Yes, perfect. And where are the kou-iii-gnettes ?

— The kou-iii-gnettes are in the kitchen, répliqua Manelle en riant.

La fraîcheur du dehors les saisit au sortir de l'hôtel. Ils remontèrent le quai en direction du port de plaisance qui se devinait plus loin à sa forêt de mâts immobiles s'élevant dans la nuit. Des écharpes de brume glissaient sur les eaux noires du lac. Sur la rive d'en face, la ville d'Évian scintillait de tous ses feux. C'est un trop bel endroit pour mourir, pensa Manelle en frissonnant.

— Vous voulez ma veste ? proposa Ambroise.

— Non, ça va, merci. Et puis je crois qu'on arrive.

L'endroit était à la fois sobre et chaleureux. De grandes baies vitrées donnaient sur le Léman. En ce lundi de morte-saison, seules quelques tables étaient occupées et les deux jeunes gens purent choisir un emplacement à leur guise.

— Ça vous ira ? s'inquiéta Ambroise après avoir jeté son dévolu sur la table qui offrait la meilleure vue sur l'étendue brumeuse.

— Très bien.

— Vous voulez boire quelque chose ?

— Je crois que ça ne me ferait pas de mal.

— Du vin ? Un vin blanc ?

Ambroise commanda deux verres de Chardonnay.

— Je suis inquiet, à propos de Monsieur Dinsky, dit-il après un court silence. Il n'a vraiment pas l'air en forme.

— Oui, et ça ne va pas aller en s'arrangeant, confirma Manelle qui détourna la tête afin de cacher son émotion.

— Comment ça ? questionna le jeune homme.

Elle attendit que le serveur ait fini de remplir leurs verres avant de poursuivre.

— Samuel est atteint d'une tumeur au cerveau inopérable. Il ne lui reste plus que quelques semaines à vivre.

— Merde.

Il y avait dans ce « merde » toute la désolation du monde et la jeune femme fut touchée de voir la tristesse non feinte avec laquelle le garçon avait réagi à la nouvelle.

— Il va suivre son jumeau de près dans la tombe, lâcha Ambroise après un temps.

— Ça, ça risque d'être difficile.

— Mais vous venez de me dire qu'il ne lui restait que quelques semaines à vivre.

— Oui, en effet. Quelques semaines, pour la version optimiste. Non, quand je dis que ça risque d'être difficile, je veux parler de son jumeau.

Manelle avala une première gorgée fruitée pour se donner du courage. Elle avait promis à Samuel de garder le secret le plus longtemps possible mais voilà qu'elle arrivait au bout de ce « plus longtemps possible ». Il fallait qu'elle parle, qu'elle partage, qu'elle trouve de l'aide. Elle n'en pouvait plus d'être la seule à porter ce fardeau. Et l'homme qui se tenait en face d'elle en cet instant précis était peut-être le plus apte à recevoir la vérité. Un serveur s'approcha pour prendre la commande.

— Plus tard, s'il vous plaît, merci, le refoula poliment Ambroise.

La jeune femme prit une grande bouffée d'oxygène avant de poursuivre.

— Samuel Dinsky n'a jamais eu de frère, et encore moins de frère jumeau, lâcha-t-elle dans un souffle.

— Comment ça, jamais eu de frère? Mais le corps qu'on est censé rapatrier en France?

— Celui de Samuel.

Voilà, c'était dit. Comme elle s'y attendait, Ambroise le prit plutôt mal. Elle-même ne l'aurait pas pris autrement.

— Attendez, vous essayez de me dire qu'à l'heure où on parle, il n'existe pas de corps à rapatrier, c'est bien ça? Que le seul corps pour lequel nous sommes venus ici serait celui de Samuel Dinsky, octogénaire de son état et toujours bien vivant malgré une méchante tumeur au cerveau qui, si les spécialistes ont vu juste, devrait le tuer, d'ici quelques semaines.

Aux tables voisines, des visages inquiets s'étaient tournés dans leur direction, des visages qu'Ambroise ignora pour poursuivre.

— Vous êtes gentille mais faut pas me prendre pour un demeuré!

— Le suicide médicalement assisté, vous en avez déjà entendu parler? reprit-elle avec calme.

— Comme tout le monde, plus ou moins, oui.

— Eh bien c'est ce qu'a choisi un vieil homme de quatre-vingt-deux ans qui refuse de voir la mort venir jouer une nouvelle fois avec lui comme elle l'a déjà fait par le passé. Ce sont ses propres termes, Ambroise. Jouer une nouvelle fois avec lui. Il m'a tout raconté. Déporté avec sa famille, Samuel a connu l'horreur des camps quand il était enfant. La faim, la maladie et cette mort partout, tournant autour de lui, l'effleurant, prélevant ses victimes sans jamais le choisir, lui. Imaginez ce gosse d'à peine douze ans chargé de récupérer les lunettes de ceux que l'on menait à la chambre à gaz. Imaginez un instant ce qu'il a pu vivre, ce qu'il a dû ressentir devant ce défilé d'êtres humains qui lui tendaient leurs montures, ignorant pour beaucoup l'abomination qui les attendait.

Ambroise revit l'image d'un Samuel interdit et en pleurs devant le présentoir de lunettes à la station-service. « Des mauvais souvenirs qui m'ont rattrapé », lui avait dit le vieil homme en essuyant ses larmes.

— Il doutait, et à juste titre je pense, qu'une entreprise telle que la vôtre accepte en toute connaissance de cause de se faire la complice d'un projet comme le sien. Et s'il vous a menti en inventant ce frère jumeau, c'est uniquement parce que c'était pour lui la seule solution de parvenir à ses fins. À sa fin, pour être plus précis. Se faire emmener ici, l'un des rares pays où le suicide médicalement assisté est autorisé, prendre la mort de court et puis se faire ramener à la maison. Voilà, vous en savez à présent autant que moi, conclut Manelle en buvant une grande gorgée de vin.

— Merde, répéta Ambroise pour la deuxième fois de la soirée.

— C'est une association qui s'appelle Délivrance qui va s'occuper de lui. Leur responsable doit passer demain matin à l'hôtel pour emmener Samuel à la visite de contrôle médical. Il va ensuite rejoindre l'appartement où doit se dérouler en fin d'après-midi son…

Elle frémit et ravala le mot « exécution » qu'elle s'apprêtait à prononcer.

— Il veut que je l'accompagne, mais...

La jeune femme ne put aller plus loin et fondit en larmes. En cet instant, Ambroise eut plus que jamais envie de se lever et d'aller la serrer contre lui, de lui caresser les cheveux, de boire les perles qui roulaient sur ses joues. De lui dire qu'il était là, maintenant, qu'il serait là demain encore et tous les lendemains du monde. Au lieu de cela, paralysé sur sa chaise par cette timidité idiote qu'il abhorrait, il se contenta de lui tendre sa serviette afin qu'elle sèche ses yeux.

— Merci. Je n'arrive pas à me faire à cette idée. Je me répète toujours qu'on doit laisser la nature faire les choses. Qu'au milieu de toute cette douleur qui le ravage, il peut bien se trouver encore quelques belles éclaircies à vivre. Et puis on a déjà vu des rémissions, ça existe les rémissions, non ?

— On est sûr, pour la tumeur ? Il n'y a vraiment rien à faire, aucune opération possible ?

— Aucune. Le spécialiste a été formel. C'est plié de ce côté-là. Son état se dégrade vitesse grand V. Ce soir, il avait encore de la fièvre et ça devient de plus en plus difficile de la faire baisser. Sans parler qu'il vomit presque tout ce qu'il avale. Et il m'a avoué tout à l'heure qu'il voyait trouble et que sa vue se dédoublait par moments.

Après un long moment de silence, Ambroise reprit la parole.

— Je pense qu'il faut respecter son choix, Manelle. Mettre de côté votre opinion et laisser Samuel s'en aller comme il l'entend. Et si son dernier souhait, c'est de vous avoir à ses côtés, alors il faut l'accompagner. Nous l'accompagnerons ensemble, si vous voulez.

Manelle garda le silence. Un silence en guise d'abdication, pensa-t-elle, amère. Mais elle savait au fond d'elle-même qu'Ambroise avait raison. Et demain, aux côtés du jeune homme, elle allait accompagner Samuel Dinsky, jusqu'à ce que mort s'ensuive.

Lorsque le serveur revint s'enquérir de leur choix, ils n'avaient toujours pas consulté la carte. L'appétit d'Ambroise s'était envolé. Plus pour la forme que pour la faim, ils commandèrent des filets de féra meunière, la spécialité de l'établissement, et un deuxième verre de vin. Ils mangèrent d'abord du bout des lèvres, sans conviction, puis, peu à peu, la vie revint à eux. Elle revint par la chair tendre du poisson, par le croustillant des frites, par le fruité du vin, par les rires des tables alentours, par le scintillement des lumières sur le flanc des montagnes au loin. La vie dans leurs yeux, dans le pourpre de leurs joues. Alors ils parlèrent, se racontèrent, se surprirent à sourire et même à rire, éloignant pour un temps l'idée insupportable de ce jour à venir qui les attendait.

32

À leur sortie du restaurant, la brume sur le lac avait épaissi et masquait la rive opposée. Le jeune homme ôta sa veste pour en couvrir les épaules de Manelle qui grelottait de froid. Ils marchèrent vite et s'engouffrèrent en hâte dans le hall chauffé de l'hôtel. Tandis qu'ils entraient dans la cabine d'ascenseur, la jeune femme vint se blottir contre lui, posant sa tête sur son épaule.

— Je ne veux pas être seule cette nuit, le supplia-t-elle. Pas cette nuit, s'il te plaît.

Ambroise la serra entre ses bras, respira ses cheveux, s'enivra de son parfum. Ils se tinrent ainsi un long moment au milieu de cette cabine, hors du temps et hors du monde. Sitôt franchi la porte de la chambre 236, ils s'embrassèrent avec fougue. Leurs dents s'entrechoquèrent tandis que leurs langues se trouvaient. Ivres de vin et de désir, la tête leur tournait. La fièvre qui embrasait leur sang appelait l'autre de tous les pores de la peau. Ils se déshabillèrent sans cesser de s'embrasser, ne se désunissant que le temps de se débarrasser de leur pantalon. Le lit accueillit leurs corps. Le souffle court, Ambroise libéra la poitrine de la jeune femme de son soutien-gorge. Elle lui arracha son boxer.

— Allume, s'il te plaît. Je veux te voir, le pria-t-elle d'une voix haletante.

La lumière jaune des appliques repoussa les ombres, se déposa sur leurs courbes, fit scintiller leurs yeux, se perdit dans la vallée que dessinaient leurs ventres unis. Manelle caressa ses épaules, embrassa son torse. Ambroise saisit l'un de ses seins à pleine paume tandis que son autre main se coulait entre les cuisses de la jeune femme. Il frissonna lorsqu'elle embrassa son cou. Elle haleta sous la caresse, emprisonna sa main entre ses jambes serrées.

— Prends-moi, souffla-t-elle à son oreille avant de la mordiller.

Ambroise entra en elle. Ils traversèrent ensemble au rythme des va-et-vient la tempête qui battait dans leurs veines, jusqu'à ce que la jouissance les submerge puis les rejette sur les draps blancs, côte à côte, haletants et repus pour un temps l'un de l'autre.

33

Ils s'étaient aimés à trois reprises au cours de la nuit, faisant preuve à chaque fois d'un même appétit. Manelle avait rejoint la chambre 103 au petit matin. Elle ne souhaitait pas que la vieille femme s'inquiète en découvrant son absence au réveil. Elle avait passé un tee-shirt avant de se glisser dans le grand lit aux côtés de Beth dont les ronflements réguliers n'avaient pas tardé à bercer son sommeil. À huit heures comme convenu, la réception fit sonner les téléphones des trois chambres pour le réveil.

— Vous avez passé une bonne soirée ? demanda Beth à la jeune femme, de la malice dans la voix, une Beth qui, entre deux ronflements, n'avait pas manqué de noter l'heure plus que tardive à laquelle celle-ci avait retrouvé son lit.

— Merveilleuse, oui. Les filets de féra étaient excellents et les quais sont vraiment magnifiques.

Beth ne douta pas un seul instant que ce « merveilleuse » contenait un peu plus que des filets de féra et une promenade sur les quais mais n'en fit pas montre.

Pendant que la vieille femme se préparait, Manelle alla dans la chambre voisine s'enquérir de l'état de santé de Samuel. Elle embrassa son front. La fièvre était revenue. Était-elle vraiment partie d'ailleurs ? se demanda la jeune femme. « Ce soir, ça ira mieux », ironisa le vieil homme. Elle le conduisit à la salle de bains et laissa à l'octogénaire le soin de faire sa toilette intime tandis qu'elle sortait les habits de la valise. Chemise vert pastel, pantalon noir, veste vert foncé. Le vert, la couleur de l'espoir, pensa-t-elle. Il se laissa habiller docilement. Il était aussi épuisé que la veille, sinon plus encore. Comme les médicaments, les nuits n'avaient plus aucun effet sur lui. Manelle lui demanda de s'allonger pour se reposer en l'attendant. « Je reviens vite, le rassura-t-elle, le temps de prendre une douche et de me préparer. » Le vieil homme dormait à son retour. À le voir ainsi immobile au milieu du lit dans son costume, les mains croisées sur sa poitrine, elle crut un instant que la mort, mauvaise joueuse, l'avait finalement devancé dans ses projets. Elle caressa sa joue, lissa du plat de la main cette mèche rebelle qu'il lui fallait toujours remettre en place à chacune de ses visites. Il ouvrit les yeux et la regarda sans la reconnaître. C'était les yeux d'un être perdu au milieu de nulle part.

— C'est moi, Manelle, lui murmura-t-elle tendrement. Ils nous attendent en bas pour le petit déjeuner. Il faut prendre des forces, la journée va être longue.

La jeune fille se mordit la langue en se traitant d'idiote. Comment une dernière journée pouvait-elle être assez longue ? Ils retrouvèrent Ambroise et sa grand-mère dans la salle de restaurant où était dressé le buffet. Elle salua le jeune homme d'une bise légère.

— Le secret d'une bonne pâte à brioche, c'est le même que celui d'une belle histoire d'amour, déclara Beth en posant sur la table une assiette pleine de viennoiseries. Une nuit entière pour lever, c'est ce qui donne tout le moelleux.

Ambroise et Manelle échangèrent un regard complice. La grand-mère qui n'en attendait pas moins tapota la main de Samuel avant de se lever pour lui passer sa serviette autour du cou.

— Ce serait pécher que de salir une si belle chemise.

La jeune fille apporta au vieil homme un verre de jus d'orange. Il se contenta d'une madeleine qu'il picora du bout des dents. Malgré la tristesse palpable, les deux jeunes gens se forcèrent à manger, ne parvenant pas à chasser l'idée insupportable que ce petit déjeuner partagé avec le vieillard était le dernier.

— La personne qui doit venir me chercher pour voir mon frère arrive à dix heures, c'est bien ça, Manelle ?

— Il sait, Samuel, lui annonça-t-elle en posant la main sur son avant-bras décharné. Plus la peine de mentir, Ambroise est au courant, je lui ai tout raconté hier soir.

— Oui, Monsieur Dinsky, confirma le jeune homme, Manelle m'a tout expliqué.

— Aujourd'hui, faites-moi le plaisir de m'appeler Samuel.

— Et j'aimerais vous accompagner aux côtés de Manelle, si vous m'y autorisez, Samuel.

— Partir entouré de deux anges, je n'aurais pas pu rêver mieux.

— Beth, reprit gravement Ambroise en se tournant vers sa grand-mère. Samuel, Manelle et moi avons quelque chose à te dire.

— Si c'est pour me parler du suicide médicalement assisté, ne vous fatiguez pas, Samy m'a déjà tout dit.

— Mais quand ?

— Hier, lorsqu'on était à l'aire des Fruitiers, après qu'il ait vomi tripes et boyaux dans les toilettes et après que je lui ai avoué être ta grand-mère et pas du tout l'accompagnatrice bénévole qu'on lui avait fait croire. Je ne t'ai rien dit parce qu'il m'avait demandé de garder le silence, poursuivit-elle en saisissant affectueusement la main de Samuel. Il avait peur que tu rebrousses chemin.

Décidément, pensa Ambroise, tout le monde sauf moi semble avoir un secret à cacher dans cette histoire.

La responsable de l'association Délivrance fit son entrée dans le hall à dix heures tapantes. Précision horlogère suisse, admira Beth. Emma Besuchet avait une voix douce qu'accentuait encore un fort accent vaudois. La cinquantaine, un visage agréable, habillée de vêtements de couleurs, elle n'affichait rien de l'austérité à laquelle s'était attendue Manelle, si ce n'était les cheveux rassemblés en un chignon serré. La jeune femme aurait aimé haïr cette créature porteuse de mort mais ne parvint pas à la trouver antipathique. Elle fit tout de suite preuve envers Samuel d'un respect attentionné et son « Bonjour Monsieur Dinsky » sonna juste aux oreilles de l'aide à domicile. Après les présentations, Emma Besuchet les invita à prendre place dans les fauteuils et canapés mis à disposition des clients dans le petit salon de l'hôtel. Là, elle expliqua avec la plus grande clarté à Samuel comment allaient se dérouler les opérations. Elle le fit avec ses mots à elle, des mots qu'Ambroise connaissait par cœur.

— Le « départ » se fera en début de soirée si vous le voulez bien, à la nuit tombante.

Comme des voleurs, frissonna Manelle.

— Bien entendu Monsieur Dinsky, vous restez à tout moment maître de la situation et pouvez choisir de changer les choses comme bon vous semble. Je vous rappelle que l'association Délivrance et moi-même ne sommes là que dans le seul but de vous accompagner dans votre démarche et de vous rendre celle-ci la plus humaine et la plus douce possible. À onze heures, nous avons rendez-vous avec le docteur Meyan, le médecin de l'association, qui va vérifier que votre état est en tout point compatible avec notre déontologie. Simple formalité, rassurez-vous. Je vais vous demander de me donner votre dossier médical.

Manelle sortit la chemise avec les documents demandés.

— Merci. Il me faudra également un justificatif d'identité en cours de validité.

— Je n'ai que ma pièce d'identité, bafouilla Samuel.

Manelle prit délicatement le portefeuille d'entre ses mains tremblantes et sortit la carte qu'elle tendit à Emma Besuchet. Au grand dam de tous, la femme inspecta longuement le rectangle de plastique.

— Je vois que votre carte n'est plus valable depuis plusieurs mois. Auriez-vous un autre justificatif? Un passeport ou un extrait d'acte de naissance par exemple, à condition qu'il ait moins de trois mois, une fiche récente d'état civil ? Non ? C'est embêtant ça. Vraiment, vous n'avez rien d'autre que cette carte ?

— Mais enfin, s'exclama Manelle agacé, vous voyez bien que c'est lui.

— Je vois un document dont la date de validité allait jusqu'au mois d'avril. Et c'est la seule chose qui fait foi au niveau légal. En dehors de toutes considérations humaines, considérations que je comprends parfaitement, nous n'avons pas le pouvoir et encore moins le droit de juger de l'identité de quelqu'un de façon purement arbitraire.

— Putain, mais son état, vous le voyez son état, non ? Et son dossier médical, il est arbitraire, son dossier médical ? s'emporta la jeune femme.

Emma Besuchet entraîna Manelle à l'écart.

— Écoutez mademoiselle, ça ne sert à rien de faire un esclandre. Ce n'est pas en nous énervant que nous allons trouver une solution.

— Vous ne pouvez pas lui faire ça. Il s'y est tellement préparé, conjura Ambroise qui les avait rejointes.

— Il n'en peut plus d'avoir mal, bon sang, renchérit Manelle d'une voix sifflante. Il rend tout ce qu'il avale, voit de moins en moins clair, est à bout de force au lever comme au coucher.

Perdu au milieu du canapé, Samuel ne comprenait rien à toute cette agitation. « Quelque chose ne va pas ? » s'enquit-il auprès de Beth. Celle-ci vint s'asseoir près de lui et lui prit la main.

— Je ne sais pas mais apparemment, un douanier sommeille en chaque Suisse.

— Le règlement est formel : il faut pouvoir faire preuve que l'on existe pour pouvoir demander le droit de disparaître, c'est aussi simple que cela, répliqua Emma Besuchet au jeune couple avant de se rapprocher du vieil homme.

Elle déposa la carte d'identité et le dossier médical sur la table basse, se confondant en excuses.

— Je ne comprends pas Monsieur Dinsky. C'est la première fois que cela nous arrive et je vous prie de croire que j'en suis la première navrée, vraiment, mais il va nous être impossible aujourd'hui de démarrer le protocole. Bien évidemment, les sommes versées vous seront en partie remboursées, déduction faite des frais engagés. Et nous restons naturellement à votre entière disposition pour toute nouvelle demande de votre part, à condition que vos papiers soient bien à jour. Au revoir Monsieur Dinsky. Mesdames, monsieur.

Ambroise et Manelle restèrent un long moment immobiles, totalement abattus par l'épisode qu'ils venaient de vivre. Le jeune homme la prit dans ses bras.

— C'est ce que tu voulais finalement, non? la consola-t-il. Tu nous as même suivis pour ça au départ, il me semble. Allons, viens, il a besoin de nous.

Alors, tous deux agenouillés devant lui, tenant chacun une main, ils expliquèrent au vieil homme hagard qu'il n'allait pas mourir aujourd'hui, qu'il allait lui falloir endurer son calvaire encore pour un temps, mais qu'ils seraient là quoi qu'il arrive, à ses côtés comme promis, et ce, jusqu'au bout.

— Il n'a vu qu'un seul spécialiste? questionna Beth surprise tandis qu'elle compulsait le dossier médical de Samuel.

— Oui, confirma la jeune femme.

— Ambroise Larnier, qu'est-ce que t'a toujours rabâché ta grand-mère?

— Que les spécialistes ne savent voir les choses que d'un œil. Et qu'il faut toujours en consulter un deuxième si on veut avoir un regard complet sur la maladie.

34

— Peux-tu nous rappeler qui est ton père, Ambroise Larnier ? le pria sa grand-mère.

— Quel rapport ? grommela le jeune homme.

— Allons, réponds, ça va les intéresser, insista Beth.

— Professeur Henri Larnier, grand prix Nobel de machin chose, promo 2005, murmura Ambroise avec mépris.

— De médecine, prix Nobel de médecine, n'ayons pas peur des mots s'il te plaît. Et que fait-il, dans la vie, ce brave homme, tu peux nous le rappeler ?

— Ah non, Beth, je te vois venir là mais il n'en est pas question. Plutôt crever.

— Bravo, je te félicite pour cette expression on ne peut plus adaptée à la situation.

— Pardon Samuel, je ne voulais pas dire ça mais ne me demande pas l'impossible, Beth, pas lui.

— C'est quoi cette histoire? les interrompit Manelle.

— Eh bien figurez-vous que le jeune homme que vous avez devant les yeux a pour père l'un des plus éminents spécialistes au monde en cancérologie mais que ce même jeune homme, étant en froid avec lui, ne veut pas profiter du privilège qui nous est offert de pouvoir le consulter.

— Mais il faut y aller tout de suite, Ambroise, s'exclama la jeune femme. On n'a rien à perdre. Et on s'en fout que tu sois fâché avec ton père, on ne te demande pas de te réconcilier avec lui, on veut juste qu'il voie Samuel.

— C'est le meilleur dans sa discipline, Ambroise, et tu le sais très bien, insista la vieille femme. En plus, la chance est de notre côté. Comme tous les débuts de semaine, il doit se trouver à son bureau de l'OMS. C'est à deux pas d'ici. Fais-le, pour Samuel.

L'octogénaire contemplait le sol, le regard vide, dans l'attente de ce départ qu'on venait de lui refuser. Le jeune homme mit son orgueil dans sa poche et rendit les armes.

— Ok, mais n'attendez pas de moi que je me roule à ses pieds. C'est uniquement pour Samuel.

— Merci pour lui, s'enflamma Manelle qui l'embrassa à pleine bouche avant de saisir doucement le vieillard par le bras.

Ils longèrent le lac en direction de Genève sur une cinquantaine de kilomètres. Après un peu plus d'une heure de trajet, Ambroise gara le fourgon devant l'édifice austère de l'OMS. Vu de l'extérieur, le bâtiment haut de sept étages ressemblait à une barre d'immeubles des années 1970. Tandis que Manelle restait à bord avec Samuel, inutile de fatiguer le malade inutilement, le jeune homme accompagné de sa grand-mère franchit les immenses portes vitrées en direction de l'accueil et demanda à voir le professeur Larnier.

— C'est de la part de qui ? questionna la réceptionniste.

— De la part de son fils.

— Et de sa belle-mère, renchérit Beth.

La femme les considéra avec curiosité avant de les faire patienter, le temps de composer un numéro.

— Le professeur Larnier vous attend dans son bureau. Troisième étage, son nom est sur la porte, les informa-t-elle après avoir raccroché.

Ils allèrent chercher Manelle et le vieil homme et s'engouffrèrent tous les quatre dans le vaste ascenseur qui les emporta dans les étages. PR. HENRI LARNIER, NOBEL PRIZE IN MEDICINE. Une plaque à la dimension de l'ego du bonhomme, pensa le jeune thanatopracteur. Ils n'eurent pas besoin de frapper. La porte s'ouvrit sur un Henri Larnier alarmé. La première pensée d'Ambroise en contemplant l'homme qui se tenait devant lui fut qu'il avait vieilli. Une barbe grise ombrait le bas de son visage. La soixantaine passée, il avait un peu perdu de ce maintien rigide qui conférait à sa personne prestance et autorité. Plutôt bel homme, jugea Manelle, et qui ressemblait beaucoup à son fils, même si Ambroise possédait ce petit côté décontracté qui manquait cruellement à son père.

— Que se passe-t-il ? s'inquiéta le professeur avant même de saluer son fils.

— Bonjour papa, le reprit le jeune homme.

— Pardon, bonjour Ambroise. Bonjour Élisabeth.

Sa belle-mère lui avait demandé des centaines de fois de l'appeler Beth, en vain. Désigner les choses et les gens par leur nom exact révélait bien là tout le caractère scientifique de son père, songea le garçon. Dans la vie comme en médecine, cela ne se faisait pas de jouer avec les appellations.

— Monsieur, mademoiselle.

— Manelle et Samuel, les présenta Ambroise.

— Que me vaut cette visite ?

— Ne t'inquiète pas, je ne viens pas pour moi.

— Tu ne viens pas me voir quand je suis près de chez toi, comprends donc que ta présence ici à des centaines de kilomètres de la maison, accompagné de ta grand-mère et de ces gens que je ne connais pas, puisse m'intriguer un tant soit peu.

— Peut-on entrer dans ton bureau, si ça ne te gêne pas ?

— Il n'y aura pas assez de chaises pour tout le monde, je vous propose plutôt de descendre à la cafétéria, on y sera mieux pour discuter, suggéra le scientifique en refermant la porte dans son dos.

En terrain neutre, pensa son fils amèrement. Son père n'avait jamais été capable de lui ouvrir son intimité. Ils se trouvèrent une table libre et Henri Larnier reposa sa question.

— Alors, que me vaut cette visite ?

— Eh bien voilà, j'aurais aimé, nous aurions aimé, que tu auscultes monsieur ici présent et que tu consultes son dossier médical pour savoir ce qu'il en est exactement.

— Alors comme ça, mon fils fait dans le vivant maintenant, lâcha avec ironie Henri Larnier.

— S'il vous plaît Henri, le pria Beth, Ambroise a pris sur lui pour venir vous faire cette demande. Ne vous querellez pas maintenant, je vous en prie.

— C'était sûr de toute façon, bougonna le jeune homme.

— Ah non, s'insurgea Manelle, vous n'allez pas commencer. Je ne sais pas ce qu'il y a entre vous, et ça ne me regarde pas, mais le problème n'est pas là. Le problème, Monsieur Larnier, c'est cette tumeur qui est en train de tuer notre ami ici présent, alors vous reprendrez vos querelles plus tard si vous voulez mais en attendant, occupez-vous de lui, s'il vous plaît ! conclut la jeune femme en posant le dossier médical de Samuel devant le médecin estomaqué par une telle impétuosité.

— Très bien, concéda l'homme en ouvrant le dossier.

Le scientifique laissa de côté le compte-rendu de son confrère pour survoler rapidement les résultats des analyses avant de s'attarder sur les clichés de l'IRM sur lesquels il passa de longues minutes sans dire un mot.

— D'après la date, je vois que ces images ont été réalisées il y a environ deux mois, c'est bien ça ?

Manelle répondit à la place de Samuel.

— Un peu moins de deux mois, oui.

— Un peu moins de deux mois, répéta-t-il dubitatif. Pas possible, remarqua l'homme pour lui-même.

— Qu'est-ce qui n'est pas possible ? demanda Beth.

— Pardonnez ma franchise mais vu la taille du glioblastome au moment de l'IRM et connaissant le pouvoir invasif rapide et le caractère très agressif de ce genre de tumeur, il n'est scientifiquement pas possible que monsieur ici présent soit toujours en vie. Désolé mais non, tout simplement pas scientifiquement possible. Je ne sais que penser Monsieur… Wendling, poursuivit-il en lisant le nom en bas des clichés, mais…

— Dinsky, le corrigèrent en chœur Manelle, Beth et Ambroise.

— Pardon ?

— Dinsky. Pas Wendling mais Dinsky, rectifia Manelle.

— Écoutez, moi je lis ici Wendling, Roger Wendling, insista le praticien en leur montrant le nom écrit en lettres blanches sur fond noir en bas des radios.

La stupéfaction pouvait se lire sur tous les visages, sauf sur celui du principal intéressé, trop occupé à essayer de contenir ses maux de tête. Henri Larnier reposa le cliché pour s'emparer de la chemise.

— Je vois en effet que le compte-rendu rédigé par mon confrère, le docteur… Gervaise, concerne bien Monsieur Dinsky mais il a été fait sur la base de clichés qui sont, eux, au nom de Wendling. Généreux d'ailleurs ce docteur Gervaise. Donner trois mois d'espérance de vie à un patient atteint d'un glio pareil, chapeau, ça n'est plus de l'optimisme, c'est de la science-fiction. Il a dû y avoir une inversion au niveau du marquage des clichés, chose qui arrive de moins en moins souvent grâce à Dieu mais dont nous ne sommes pas totalement à l'abri.

— Mais de quoi souffre Monsieur Dinsky alors ? questionna Beth, d'une voix à la fois inquiète et pleine d'espoir.

— Pour ça, il faudra refaire des examens. Quel âge avez-vous, Monsieur Dinsky ?

— Quatre-vingt-deux, répondit faiblement Samuel.

— Vous aviez de forts maux de tête récurrents, raison pour laquelle vous avez consulté, c'est bien ça ?

— Oui, répondit Manelle à la place du vieil homme.

— De la fièvre ?

— Oui, quasiment en permanence depuis quelques jours.

— Des vomissements, une perte de poids ?

— Oui, il vomit presque tout ce qu'il mange et il a beaucoup maigri.

— Se plaint-il de troubles visuels ? Vue brouillée ou double ?

— Oui, depuis peu, mais comment le savez-vous ?

Henri Lannier se leva et s'approcha du vieil homme. Il palpa ses tempes et examina de près les artères temporales anormalement gonflées.

— Si je vous touche le cuir chevelu, là, vous avez mal ?

— Oui, gémit l'octogénaire.

— Avez-vous déjà entendu parler de la maladie de Horton ?

La question s'adressait à tous. Le silence qui lui répondit l'invita à poursuivre :

— C'est une maladie qui se déclare principalement chez les personnes âgées, plutôt après quatre-vingts ans, et qui se révèle par les symptômes dont nous venons de parler. Le risque le plus gênant de cette pathologie, si elle n'est pas traitée rapidement, est la baisse de l'acuité visuelle, pouvant aller parfois jusqu'à la cécité complète. Mais rassurez-vous, c'est une maladie qui se traite bien de nos jours. Je vais prescrire à Monsieur Dinsky un traitement d'urgence à base de puissants corticoïdes et s'il s'agit bien de la maladie de Horton, mais les analyses nous le confirmeront très vite, son état général devrait s'améliorer rapidement et les céphalées s'estomper d'ici quelques jours, voire quelques heures.

Ambroise, Beth et Manelle regardèrent tous trois Samuel Dinsky, un Samuel Dinsky qui ne comprenait plus rien à rien et dont l'univers, pour la deuxième fois de la journée, venait d'imploser.

35

L'homme de science fit faire à Samuel une prise de sang au sein même des laboratoires de l'OMS. Ils auraient les résultats dans l'après-midi. Dans le même temps, il fit préparer par la pharmacie située en sous-sol les médicaments nécessaires afin d'attaquer le plus tôt possible la corticothérapie.

— Voilà, ils seront disponibles d'ici quelques minutes à la réception avec la posologie à suivre à la lettre et un mot pour le médecin traitant. Une première prise tout de suite, il n'y a pas de temps à perdre. Ah, cela faisait une éternité que nous n'avions pas pratiqué comme ça, ma foi, sourit un Henri Larnier satisfait. C'est un peu rock'n'roll, il faut bien le reconnaître, mais cela a le mérite de rappeler les années d'internat.

Pour la première fois, Ambroise perçut de la nostalgie dans la voix de son père, nostalgie peut-être de cette époque où le Nobel n'avait pas encore supplanté le médecin.

— Je ne peux pas rester, poursuivit le spécialiste en consultant sa montre, j'ai une conférence à préparer mais je vous invite à rester manger ici si vous le souhaitez. C'est plutôt une bonne cantine, vous verrez. Et je ne sais plus quoi faire de tous ces tickets-restaurant auxquels j'ai droit tous les mois.

Après avoir déposé sur la table les tickets en question, Henri Larnier prit congé de leur compagnie, non sans avoir au passage rassuré le vieil homme.

— Si nous avons vu juste Monsieur Dinsky, tout devrait rentrer dans l'ordre rapidement, ne vous inquiétez pas.

Ambroise sourit. Il avait oublié cette drôle d'habitude qu'avait son père d'employer ce « nous » dans certaines phrases pour parler de lui-même, habitude née de ses innombrables publications scientifiques où il est souvent d'usage d'utiliser la première personne du pluriel pour parler de soi.

Après son départ, Manelle et Ambroise se regardèrent avec dans les yeux un éclat nouveau que l'espoir avait allumé. Emma Besuchet et son cocktail d'au revoir était loin. Le vieil homme allait vivre. Cette journée qui devait être sa dernière allait être une seconde naissance. Beth, avec son esprit pratique coutumier, ramena tout le monde sur terre.

— Il faut aller se servir avant qu'il n'y ait trop de monde. Il est midi et les gens arrivent.

— Allez-y, ordonna le jeune homme. Prenez-moi ce que vous voulez, je vais à l'accueil voir si les médicaments sont là.

Ambroise revint avec, précieusement serré contre sa poitrine, le sac contenant les boîtes de corticoïdes. Suivant la posologie prescrite par Henri Larnier, Manelle sortit trois comprimés dragéifiés qu'elle posa devant Samuel. Laborieusement, le vieil homme avala les cachets un à un à l'aide d'un verre d'eau, sous les encouragements de ses anges gardiens. Des anges gardiens qui mangèrent vite et avec appétit, libérés de la chape qui pesait sur eux depuis le matin. Au moment de partir, Ambroise laissa les clés à Manelle et s'excusa.

— Attendez-moi dans le fourgon, je vous rejoins, j'en ai pour cinq minutes.

Il ignora l'ascenseur et grimpa quatre à quatre les marches jusqu'au troisième. Il n'avait pas remercié son père pour leur avoir consacré un peu de son temps précieux. Il voulait surtout l'embrasser, l'embrasser comme un fils doit embrasser son père lorsqu'ils se séparent. Les coups timides frappés à la porte restèrent sans réponse. « Papa ? » Il entra. Le bureau était vide. Alors il vit. Et à l'instant où il découvrait l'antre d'Henri Larnier, toutes les certitudes idiotes qu'il avait cultivées depuis des années à l'égard du grand homme, égocentrisme, orgueil, froideur, insensibilité, furent réduites à néant, balayées par ce qu'il avait devant les yeux. Partout autour de lui, accrochées sur les murs, exposées sur les étagères de la bibliothèque, posées à même le plateau d'acajou du bureau, des photos d'Ambroise et de sa mère. Ambroise bébé dans les bras de la jeune femme, Ambroise enfant jouant avec un stéthoscope, sa mère en maillot de bain posant près de la piscine, resplendissante dans le soleil, Ambroise ado s'exerçant à la guitare, Ambroise au pied du sapin déballant ses cadeaux, Cécile avec Ambroise sur ses genoux déchiffrant ses premiers mots, Ambroise dans la blouse blanche de son père deux fois trop longue, Cécile plongée dans la lecture de *Voyage au bout de la nuit*. Un sanctuaire, le bureau d'Henri Larnier n'était rien d'autre qu'un sanctuaire dédié à des fantômes, celui de cette femme qu'il avait aimée et de ce fils qui lui avait échappé. Le jeune homme porta une main à sa bouche en découvrant la bibliothèque. Pas un seul instant il n'aurait pu soupçonner que son père s'intéresse un jour à son travail. Il y avait pourtant là, soigneusement rangés sur le rayon central, de nombreux ouvrages consacrés à l'art de la thanatopraxie et au métier d'embaumeur. Des livres dont certains, récents, traitaient des dernières innovations de la profession. Chamboulé, le jeune homme inscrivit son numéro de portable sur une feuille qu'il posa à même le sous-main, invitant son père à le rappeler dès qu'il aurait les résultats des analyses. Puis il ajouta au bas de la feuille ces mots qu'on ne disait jamais, des mots qui restaient emprisonnés dans le fond des gosiers par pudeur, des mots parfois libérés au pied des catafalques lorsqu'il était trop tard, des mots qui valaient à eux seuls toutes les embrassades. *Ton fils qui t'aime.*

36

Ce mercredi matin, au milieu de l'immense lit de sa chambre d'hôtel, Samuel Dinsky se réveilla étonné. Quelque chose l'avait tiré de son sommeil, quelque chose qu'il n'avait plus connu depuis une éternité : la faim. Son estomac vide émettait des gargouillis de mécontentement et son palais appelait de toutes ses papilles le petit déjeuner. L'étau qui, la veille encore, comprimait son crâne avait fini par desserrer ses mâchoires entièrement, laissant la douleur s'envoler. Sa tête à présent respirait, comme si, derrière l'os frontal, soufflait une brise légère qui avait chassé au loin les derniers vestiges de souffrance. Il se leva et entrouvrit les rideaux.

Le rai de lumière qui fendit l'air pour se poser sur le lit n'apporta pas dans son sillage la myriade d'aiguilles venant habituellement se planter dans ses rétines. Non, il ressentit juste l'éblouissement normal que procure la clarté du jour après une nuit passée plongé dans les ténèbres. Samuel s'étira en poussant un gémissement de contentement et s'allongea dans le soleil, laissant son corps boire la chaleur des rayons. Alors seulement, il les vit. Manelle, Beth et Ambroise, debout au pied du lit, et qui l'assaillirent d'un même mot : « Alors ? »

De retour de Genève, le vieil homme, terrassé par la fatigue, s'était couché pour s'endormir aussitôt. « La journée aura été plus longue que prévu », avait plaisanté l'octogénaire avant de sombrer dans le sommeil. Manelle, Ambroise et Beth étaient restés à ses côtés, redoublant de vigilance. La mort, privée de cette proie promise de longue date, n'avait peut-être pas dit son dernier mot. Samuel avait sué sa fièvre par tous les pores de la peau et la jeune femme aidée d'Ambroise avait dû changer son pyjama contre un tee-shirt sec. Malgré leur insistance pour que Beth aille se reposer dans sa chambre, celle-ci avait refusé tout net. « Ce n'est pas tous les jours qu'on a la chance de veiller un nouveau-né de quatre-vingt-deux ans passés », avait-elle chuchoté le plus sérieusement du monde.

Ils étaient donc demeurés dans la chambre 101 au chevet du vieil homme, à le couver des yeux dans la pénombre, à écouter sa respiration, à l'affût de la plus infime défaillance, jusqu'à ce que le sommeil les cueille à leur tour au cœur de la nuit, Manelle dans le fauteuil, Beth sur le canapé et Ambroise à même le sol sur lequel il avait fini par s'allonger.

L'octogénaire contempla le trio qui le fixait, suspendu à ses lèvres dans l'attente d'une réponse. Le large sourire qui vint illuminer son visage leur en dit beaucoup plus sur son état que n'importe quelle parole.

— Et cette fièvre ? s'enquit Manelle qui vint l'embrasser.

Son front était tiède et sec.

— Jour J plus un, Monsieur Samuel Dinsky. Le premier du reste de votre vie, proclama solennellement Ambroise, faisant référence au titre du film.

La veille, à l'heure même où il aurait dû ingurgiter sa potion mortelle, Manelle avait réveillé le malade, le temps de lui administrer sa deuxième dose de corticoïdes. Et ce matin, au lieu de se retrouver allongé sur une table en inox, attendant dans le froid de la mort la venue du thanatopracteur, il était là devant eux, étendu au milieu de ces draps ensoleillés, plus vivant que jamais. Un nouveau-né de quatre-vingt-deux ans, Beth n'aurait pu mieux dire. Vivant grâce à une carte d'identité périmée, songea le jeune homme avec effroi. Et à la clairvoyance de son père qui avait rappelé en fin d'après-midi pour leur confirmer la maladie de Horton.

— Vous passerez me voir à la maison ? avait-il demandé.

Un soupçon d'inquiétude avait transpiré derrière ses paroles. Peur que son fils dise non, peut-être. Peur que les mots tracés sur la feuille abandonnée sur le sous-main et qu'Henri Larnier avait lu et relu avant de les ranger précieusement dans son portefeuille ne restent que des mots. *Ton fils qui t'aime.*

— Promis papa, on passera. Au moins une fois par mois, ne serait-ce que pour faire renouveler l'ordonnance de Monsieur Dinsky, maintenant que tu es son médecin traitant, avait plaisanté son fils.

Le rire d'Henri Larnier avait résonné agréablement à ses oreilles.

J plus un pour nous aussi, papa, pensa le jeune homme. Manelle fit monter un plateau de petit déjeuner pour Samuel. Il engouffra avec appétit une première tartine sous les yeux attendris de Beth qui s'empressa de beurrer une deuxième tranche de pain.

37

Le soir même, Samuel insista pour les inviter à souper au restaurant du Régent. « Pour fêter ma maladie de Norton », se justifia le vieil homme.

— Horton, Samy, le corrigea Beth. On dit Horton.

— Je n'aurais jamais pensé un jour être à ce point heureux d'avoir une maladie, leur avoua ému l'octogénaire.

Le vieil homme avait revêtu son beau costume vert pour l'occasion. « Je n'en ai pas d'autre, s'excusa-t-il auprès de Beth. Et puis personne n'est censé savoir que c'est mon costume de mort », ajouta-t-il tandis qu'ils rejoignaient le hall. De son côté, la vieille dame n'avait pas non plus hésité à se parer de ses habits de deuil, la voilette en moins. « Il n'y a pas plus passe-partout que le noir, de toute façon, lança-t-elle à son petit-fils avant même que celui-ci n'ouvre la bouche. Pas vrai, Manelle ?

— Vous êtes magnifiques tous les deux », les félicita la jeune femme.

La table centrale les attendait. « Moi qui ai toujours rêvé de manger un jour assise dans un fauteuil Voltaire entourée d'une armée de serveurs à l'affût de mes moindres désirs, me voilà comblée », ironisa l'aide à domicile en regardant Ambroise malicieusement tandis qu'elle prenait place. Ils blaguèrent pendant tout le repas, riant parfois à pleine gorge dans l'atmosphère feutrée du restaurant, sous les regards incrédules des convives alentours. Beth, en véritable reine mère, profita plus que de raison du personnel et les sollicita au gré de ses caprices.

Puis-je avoir un verre d'eau plate, mon brave ?

Une tranche de pain complet, serait-ce possible ? Le pain blanc me donne des brûlures, merci.

Vous êtes gentil, pouvez-vous m'apporter une serviette humide et chaude pour me laver les mains ?

— Enfin Beth, là, tu pousses un peu, la réprimanda Ambroise.

— Quoi ? Avoir autant de serveurs à disposition sans avoir le droit de les utiliser, ce serait aussi idiot que de mettre des bougies sur un gâteau d'anniversaire sans avoir l'autorisation de les allumer.

Au sortir du repas, la vieille dame se fendit d'un gracieux pourboire de dix euros.

— Ils ne veulent pas de l'Europe mais ils auront mes euros quand même, claironna-t-elle en guise de petite victoire.

Manelle alla border Samuel pendant qu'Ambroise faisait sa piqûre à Beth.

— Chacun son petit vieux, pas de jaloux, plaisanta la vieille dame. Tu sais mon grand, poursuivit-elle le plus sérieusement du monde, je ne voudrais pas être un frein pour toi. Si un jour tu veux partir faire ta vie ailleurs, surtout ne te sens pas obligé de rester à cause de moi.

— C'est vrai ? Je peux ? Moi qui restais parce que je croyais que tu ne pouvais pas te passer de moi. Oui mais par contre, je ne vais pas pouvoir te laisser toute seule, avec ton diabète et tout. Non, va falloir te trouver un gentil petit hospice. J'en connais un pas trop cher où tu vas pouvoir te faire plein de copains copines, participer à des ateliers pâtisserie, jouer aux cartes, t'inscrire au club de lecture. Je viendrai te voir le dimanche. On ira se promener dans le parc. Ça va être bien.

Devant la mine déconfite de sa grand-mère, Ambroise s'empressa de démentir en la serrant dans ses bras.

— Mais non, je déconne. Tu sais très bien que je ne pourrais pas vivre sans tes gâteaux ! Pour cette nuit, par contre, j'ai bien peur d'être obligé de te priver de ta jeune camarade de chambrée, ajouta le jeune homme en attrapant par la taille Manelle qui venait de les rejoindre.

— Profitez, mes tourtereaux. Oh, oui, profitez. L'amour, c'est comme les bonbons, c'est pas en les regardant qu'on les apprécie, répliqua-t-elle en ponctuant sa phrase d'un clin d'œil appuyé à l'adresse du jeune couple.

38

Le lendemain, tandis qu'elles se trouvaient toutes deux côte à côte devant le buffet du petit déjeuner, Beth-la-Curieuse ne put s'empêcher de demander à Manelle s'ils avaient bien dormi.

— On a mangé des bonbons toute la nuit, lui glissa la jeune femme à oreille.

— Merveilleux ! Faites en sorte qu'il en reste toujours dans le paquet, conseilla Beth-la-Sage.

Il avait été convenu de partir sur les coups de dix heures et ils se retrouvèrent devant la réception, valises au pied. Samuel régla la note après avoir annulé les réservations pour les nuitées restantes.

— Séjour écourté, vie rallongée! glissa joyeusement la vieille femme au réceptionniste qui opina par politesse sans même chercher à comprendre le sens de ses propos.

Le voyage du retour se fit dans une ambiance bon enfant. Ils longèrent une dernière fois le lac. Un antique bateau à vapeur voguait sur les eaux argentées, brassant de ses deux roues à aubes les flots dans une écume bouillonnante. Accroché à la poupe, le drapeau rouge orné de sa croix blanche claquait dans le vent. Tel un enfant, le visage tendu en avant, Samuel ne perdait rien du paysage qui défilait devant ses yeux. Lors du passage de la frontière, au douanier qui leur demandait s'ils avaient quelque chose à déclarer, Beth répondit : « Juste une vie. » Devant le sourire des autres occupants, le fonctionnaire n'insista pas et regarda le corbillard sortir de Suisse en se demandant comment on pouvait être aussi joyeux dans un véhicule aussi sinistre. Ils parlèrent peu, communiant au milieu du silence par de simples regards. Ils étaient bien. Ils étaient venus avec la mort pour cinquième passager et repartaient sans elle. Quatre êtres qui, de toute leur existence, ne s'étaient jamais sentis aussi vivants.

39

Bouba et Abel accueillirent Ambroise avec leur bonne humeur coutumière, au milieu d'un bureau qui croulait sous les décorations de Noël. Les branches fragiles du ficus ployaient sous une avalanche de guirlandes. Du plafond, pendaient une multitude de boules multicolores. Une armée de santons avait envahi le dessus du frigo. Scotchés sur les vitres, des Père Noël avenants et ventrus à souhait accueillaient les visiteurs de leur sourire goguenard. À quelques jours des fêtes de fin d'année, les deux comparses ne semblaient plus vouloir quitter le bonnet rouge vissé sur leur tête du matin au soir. Comme souvent, le grand

Sénégalais répondit au salut du jeune homme d'une blague de son répertoire.

— Tu connais celle du squelette qui rentre dans un café ? Le serveur lui demande : « Qu'est-ce que je vous sers ? » Et l'autre qui répond : « Une bière… et une serpillière, s'il vous plaît. »

Abel attendit que le rire de Bouba s'éteigne avant de prendre la parole.

— Tu viens pour la petite dame ? Je ne comprends pas pourquoi ils s'évertuent à faire des autopsies sur des vieux de quatre-vingt-dix ans passés. Pourraient pas leur foutre la paix, non ?

— Tu sais bien qu'en cas d'incendie, qui plus est dans une maison de retraite, c'est obligatoire, répliqua Ambroise.

— Le feu serait parti des illuminations de Noël situées dans une chambre du rez-de-chaussée à ce qu'il paraît ? interrogea Bouba.

— Je n'en sais rien. J'espère seulement qu'elle n'a pas souffert. Où est-elle ?

— Elle est toujours sur la table d'autopsie. On s'est dit que ce serait plus pratique pour toi. Tu n'auras plus qu'à la transférer sur le chariot quand tu auras fini et on la montera en chambre funéraire. Tu as tout ton temps, il n'y a pas de famille, précisa Abel.

— Si j'osais, s'esclaffa Bouba, je dirais même : y a pas le feu !

Le jeune thanato crut mal comprendre.

— Comment ça, pas de famille ? On parle bien de Madame de Morbieux là ?

— Mademoiselle de Morbieux, s'il te plaît. Ben non, pas de famille, c'est ce qu'a déclaré la responsable de l'établissement.

Alors que l'ascenseur le descendait au deuxième sous-sol, Ambroise s'empressa d'appeler Le Clos de la Roselière. Après s'être présenté, le jeune homme demanda confirmation. La fille qui lui répondit était en larmes.

— Quel horreur, Monsieur Larnier. Trois morts, vous vous rendez compte ? Trois ! Non, Isabelle n'avait pas de famille. De lointains petits neveux mais ils ne lui ont jamais rendu visite. Vous étiez sa seule visite, tous les ans à son anniversaire. Ah, comme elle nous en parlait, de son thanatopracteur. On peut dire qu'elle vous appréciait beaucoup, vous savez. Les jours qui suivaient votre venue, elle ne tarissait pas d'éloges sur vous.

— Elle m'avait dit que son mari était décédé il y a longtemps mais elle me parlait souvent de sa fille qui l'emmenait manger au restaurant tous les dimanches.

— Inventions, Monsieur Larnier. Elle n'a jamais été mariée et elle a encore moins eu d'enfant. Isabelle était très forte dans l'art de raconter des histoires. En même temps, c'était son métier, d'écrire des histoires. Elle était écrivain.

— Mais ses petits-enfants et arrière-petits-enfants qui lui faisaient des dessins. Je ne les ai quand même pas rêvés, tous ces dessins épinglés sur les murs de sa chambre.

— Ah ces dessins-là ! Ce sont des dessins réalisés par les élèves de l'école élémentaire pour les personnes âgées de la résidence. Vous en trouverez dans toutes les chambres. Non, je suis désolée Monsieur Larnier. On peut dire en quelque sorte que nous étions, que vous étiez, sa seule famille.

Le corps dénudé d'Isabelle de Morbieux attendait Ambroise sur la paillasse en inox. Le légiste avait confirmé le décès par asphyxie. Le jeune homme posa ses mallettes et s'approcha du cadavre. Comme les deux autres victimes de l'incendie qui avait ravagé l'aile est du Clos de la Roselière, la nonagénaire avait été surprise dans son sommeil par les fumées asphyxiantes. Les flammes n'avaient pas eu le temps d'atteindre son corps et son visage était demeuré intact dans la mort. Après une autopsie, le traitement de conservation s'avérait toujours long et délicat. Pendant qu'il lavait la dépouille à l'aide d'un linge humide, la voix claire de la vieille femme résonna dans sa tête, aussi nette que lorsqu'elle retentissait dans la chambre Orchidée.

« Parlez-moi de vous, Ambroise. Vous ne me parlez jamais de vous. » Le jeune homme sourit. Alors, tandis que ses mains couraient sur la peau blanche et marbrée, il se mit à raconter. Il raconta Manelle, ses cris d'indignation à elle et son regard interdit à lui lors de leur première rencontre. Manelle et ses yeux de braise, Manelle et ses cheveux noir de jais, son corps souple, son parfum enivrant, son rire précieux. Manelle et ses lèvres dont il n'était jamais rassasié. Il expliqua comment ils traversaient à présent l'un et l'autre les journées dans l'attente de se retrouver de nouveau réunis le soir venu.

— L'appartement des Jeandron au deuxième s'est libéré le mois dernier. On a sauté sur l'occasion. Je n'ai qu'un étage à monter pour aller faire la piqûre de Beth. Ah, Beth, je ne vous ai pas parlé de Beth, Isabelle. Sûr qu'elle vous aurait beaucoup plu.

Le jeune thanatopracteur poursuivit tandis qu'il attaquait les soins de conservation. Bientôt, le ronron de la pompe d'injection vint se mêler à ses mots.

— Vous auriez vu le désarroi d'Odile Chambon lorsqu'on lui a repris le griffu en rentrant de Morges. Du coup, Beth a consenti à le partager avec elle une semaine sur deux. Ça va bientôt faire trois mois que ça dure. Une garde en alternance, une semaine de fars bretons au troisième étage, une semaine de caresses et de câlins à volonté au rez-de-chaussée. Ça n'a pas l'air de déranger le matou qui semble avoir trouvé son équilibre entre ses deux maîtresses. Ah, le théâtre a repris. Je vous avais dit que je faisais partie d'une troupe ? Nous avons dégoté une nouvelle recrue en la personne de Beth. Il manquait une actrice pour un petit rôle de dame âgée. Faut la voir prendre la lumière sur la scène tandis qu'elle déclame ses tirades. Toute la troupe en est tombée amoureuse, malgré la fâcheuse tendance qu'elle a de toujours adapter le texte à sa manière.

Tout en parlant, Ambroise manipulait le corps. Il s'interrompait parfois, le temps de fixer une canule ou de suturer un point d'entrée, puis reprenait le cours de son récit. Il lui parla longuement de Samuel, comment le vieil homme se délectait de chaque nouvelle journée passée sur terre.

— Avec Manelle, ils ont rapporté les clichés de l'IRM au docteur Gervaise. Il a tiré une drôle de tête, le spécialiste, en voyant Samuel débarquer dans son cabinet en pleine forme. La tête de quelqu'un qui voit entrer chez lui un revenant, m'a raconté Manelle.

Sans cesser de parler, le jeune homme procéda à l'habillage. Après avoir passé la combinaison en satin, il la vêtit de sa robe à fleurs préférée. Il noua le foulard de soie autour de son cou, para d'une broche les cheveux blancs. Il maquilla légèrement son visage avant d'asperger ses joues d'eau de Cologne. Ambroise en avait toujours dans sa mallette, utile pour masquer les odeurs des produits de conservation. « L'eau de Cologne, je n'ai jamais rien mis d'autre comme parfum, lui affirmait la vieille femme à chacune de ses visites. Mon mari adorait ça. »

— Isabelle de Morbieux, vous me faites une fieffée menteuse, l'admonesta Ambroise en souriant. Dans trois jours, c'est Noël, poursuivit-il. Nous réveillonnons tous chez mon père. Depuis que nous sommes rentrés de Morges, on s'appelle tous les dimanches et je passe de temps en temps à la maison. On se raconte nos vies, moi mes cadavres, lui ses séminaires. Nous parlons souvent de maman. Elle est revenue entre nous, ses souvenirs ont rempli le gouffre qui nous séparait. Papa a insisté pour nous inviter. Même Samuel sera de la partie. Je ne serais pas surpris que la bûche cette année soit une forêt noire.

Le jeune homme se pencha au-dessus de la défunte pour approcher sa bouche de son oreille.

— Noël, le jour de la Nativité. C'est plutôt un beau jour pour annoncer à tous qu'un petit être est en train de pousser dans le ventre de Manelle, qu'en dites-vous, Isabelle ?

La voix de la vieille femme retentit dans son esprit, claire et joyeuse : un sacré beau jour, Ambroise !

40

Depuis quelque temps, il était apparu aux yeux de Marcel Mauvinier que l'attitude de son aide à domicile avait changé. L'état d'exaspération permanente qui poussait auparavant Manelle Flandin au bord de la révolte et ravissait le vieil homme avait laissé place à une inquiétante sérénité. Elle accomplissait dorénavant les tâches listées sur la feuille à petits carreaux sans rechigner devant un vieux dubitatif qui se demandait bien ce que pouvait cacher cette apparente quiétude. Ce matin, quelque chose de nouveau clochait dans le paysage sans qu'il parvienne à en saisir l'origine. De prime abord, le comportement de la jeune femme ne lui avait pourtant pas paru différent des autres jours.

Comme à son habitude, elle avait claqué la porte en arrivant, lui avait gueulé du couloir un « Ce n'est que moi » à réveiller les morts, était venue le saluer au salon comme elle le faisait cinq fois par semaine, avait rapidement survolé des yeux l'ordre de mission qui l'attendait sur la table de la cuisine puis était allée vider le vase de nuit dans les toilettes avant d'en rincer abondamment la surface émaillée. Il y avait pourtant ce quelque chose qui clochait, le vieux n'en démordait pas, aussi désagréable qu'un caillou dans la chaussure et qui avait fait naître en lui ce sentiment de malaise persistant. Il referma le journal et se tortilla dans son fauteuil. Jamais l'assise de celui-ci ne lui avait semblé autant inconfortable. Ne fallait-il pas considérer ce malaise comme un funeste présage? Il finit par se convaincre que Mademoiselle Flandin, aide à domicile de son état et pilleuse patentée comme toutes les autres, de cela il en était persuadé et il n'allait pas tarder à le prouver, avait décidé ce matin de passer à l'action pour dépouiller l'inoffensif vieillard qu'il était de son billet de cinquante euros. La simple évocation du larcin ne fit qu'accroître la vigilance du vieux qui ne lâcha plus des yeux le téléviseur qui faisait office d'écran de contrôle.

Aujourd'hui, il avait caché le billet à l'intérieur du four à micro-ondes posé sur le bahut, avec cette certitude que même les souris les plus malignes finissent toujours un jour ou l'autre par succomber à la tentation. À travers la vitre sombre, on devinait plus qu'on ne voyait la coupure étalée au centre du plateau tournant. Après avoir fait la chambre, mis une lessive en route et balayé le couloir, la jeune femme réapparut dans la cuisine en chantonnant. Chantera bien qui chantera le dernier, songea le vieil homme. À l'aide de la télécommande posée sur ses genoux, il bascula sur la caméra numéro trois. Comme il l'avait noté de son écriture serrée sur l'ordre de mission entre *balayage du couloir* et *lave-vaisselle à vider*, le vieux vit son aide à domicile entreprendre le *nettoyage de la cafetière* rangée à droite du micro-ondes. Il douta dans un premier temps que le piège fonctionne, se dit qu'elle allait torcher l'ustensile sans même jeter un coup d'œil au four mais le son caractéristique qu'émit la porte de celui-ci en s'ouvrant fit s'emballer son cœur. Elle avait trouvé le billet! Les yeux rivés sur son écran, l'octogénaire ne perdait rien des faits et gestes de Manelle. Pendant quelques secondes, elle se tourna de trois quarts, n'offrant à la vue que son dos. Alors, ce qu'il avait espéré depuis toujours se produisit. Il devina plus qu'il ne vit la main plonger prestement dans la poche de la blouse avant que retentisse le claquement sec de la porte qui se refermait. Le bruit d'un piège qui se verrouille sur sa proie, songea le vieillard en jubilant. Tout le temps qu'elle passa à vider le lave-vaisselle, la jeune femme chantonna. D'une voix douce et chaude que le vieux ne lui avait jamais connue, elle égrenait les paroles de « Il court il court le furet » en virevoltant dans la cuisine au milieu des bruits de couverts. Plus encore que le choix étrange de cette comptine, la manière qu'avait son auxiliaire de vie de défier du regard la caméra entre deux refrains l'alarma. Tout cela ne sentait pas bon. Pas bon du tout. Mais il la tenait. Les images enregistrées seraient suffisamment explicites pour la confondre devant ses supérieurs et dévoiler au grand jour ses dérives cleptomanes.

Ce matin, Marcel Mauvinier ne prit pas le temps de contrôler son chronomètre pour vérifier que les quarante-huit minutes facturées par le service d'aide à domicile étaient bien écoulées. À peine Manelle eut-elle quitté les lieux qu'il trottina jusqu'à la cuisine. Là, il s'empressa d'ouvrir la porte du four. Incrédule, le vieil homme scruta la gueule sombre du micro-onde, bouche bée de stupéfaction. Le billet de cinquante euros numéroté U18190763573 avait disparu. En lieu et place, posé bien à plat sur le plateau en verre, se trouvait un autre billet qu'il saisit entre ses doigts tremblants avant de le retourner en tous sens. Il le renifla, le tritura, l'exposa dans la lumière. La coupure flambant neuf étalait son chiffre au-dessus de l'arche baroque. L'image dansa devant ses yeux. Cent euros. Cent euros qui lui brûlaient la pulpe des doigts. Il reposa le billet là où il l'avait trouvé. Sa tête bouillonnait. La question ricochait contre les parois de son crâne. Pourquoi cette garce avait-elle fait ça ? Il comprit soudain qu'il ne pouvait pas disposer de cette somme à sa guise. Ce billet ne lui appartenait pas en totalité, il leur appartenait à tous les deux. Cinquante cinquante. Marcel Mauvinier jura. La jeune aide à domicile l'emprisonnait dans son propre piège. Alors, ce quelque chose qui l'avait mis mal à l'aise depuis le début et qu'il n'était pas parvenu à définir lui sauta enfin aux yeux : ce matin, pour la première fois tandis qu'elle venait le saluer, Manelle Flandin lui avait souri.

REMERCIEMENTS

Il ne m'était pas possible de terminer l'écriture de ce livre sans remercier mon ami Jules Rizet, Jules qui m'a très gentiment ouvert les portes de son univers mystérieux, celui de la thanatopraxie. Grâce à lui, j'ai eu le privilège de vivre une expérience intense et riche d'humanité. Témoin du respect dont il fait preuve envers les corps, de son humilité face aux défis du métier malgré un savoir-faire immense, de son empathie sincère envers les familles avec cette manière à lui toute particulière de mettre son amour des vivants au service des morts, je lui serai à jamais reconnaissant de m'avoir permis cette immersion d'où je suis revenu plus vivant que jamais.

Au diable vauvert

Littérature française
Extrait du catalogue

SÉBASTIEN AYREAULT
Loin du monde, roman
Sous les toits, roman

TRISTANE BANON
Le Bal des hypocrites, récit

JULIEN BLANC-GRAS
Gringoland, roman
Comment devenir un dieu vivant, roman
Touriste, roman
Paradis (avant liquidation), récit
In utero, roman

SIMON CASAS
Taches d'encre et de sang, récit
La Corrida parfaite, récit

OLIVIER DECK
Adieu, torero, récit

WENDY DELORME
Insurrections ! En territoire sexuel, récit
La Mère, la Sainte et la Putain, roman

YOUSSOUF AMINE ELALAMY
Les Clandestins, roman, Prix Atlas

THOMAS GUNZIG
Mort d'un parfait bilingue, roman
Le Plus Petit Zoo du monde, nouvelles

Kuru, roman
Assortiment pour une vie meilleure, nouvelles
Manuel de survie à l'usage des incapables, roman
Et avec sa queue, il frappe ! théâtre
Borgia, comédie contemporaine, théâtre

NORA HAMDI
Des poupées et des anges, roman
Plaqué or, roman

GRÉGOIRE HERVIER
Scream Test, roman
Zen City, roman

ALEX D. JESTAIRE
Tourville, roman

AÏSSA LACHEB
Plaidoyer pour les justes, roman
L'Éclatement, roman
Le Roman du souterrain, roman
Dans la vie, roman
Scènes de la vie carcérale, récit
Dieu en soit garde, roman
Choisissez !, essai

LOUIS LANHER
Microclimat, roman
Un pur roman, roman
Ma vie avec Louis Lanher, nouvelles
Trois jours à tuer, roman
Les féministes n'auront pas l'Alsace et la Lorraine, récit

TITIOU LECOQ
Les Morues, roman
La Théorie de la tartine, roman

Antoine Martin

La Cape de Mandrake, nouvelles

Le Chauffe-eau, épopée

Juin de culasse, odyssée

Conquistadores, sitcom

Produits carnés, nouvelles

Romain Monnery

Libre, seul et assoupi, roman

Le Saut du requin, roman

Un jeune homme superflu, roman

Xavier de Moulins

Un coup à prendre, roman

Ce parfait ciel bleu, roman

Agathe Parmentier

Pourquoi Tokyo ?, récit

Nicolas Rey

Treize minutes, roman

Mémoire courte, roman

Un début prometteur, roman

Courir à trente ans, roman

Un léger passage à vide, roman

L'amour est déclaré, roman

La Beauté du geste, chroniques

La Femme de Rio, scénario

Les enfants qui mentent n'iront pas au paradis, roman

Céline Robinet

Vous avez le droit d'être de mauvaise humeur…, nouvelles

Faut-il croire les mimes sur parole ?, nouvelles

Régis de Sá Moreira
Pas de temps à perdre, roman
Zéro tués, roman
Le Libraire, roman
Mari et femme, roman
La vie, roman
Comme dans un film, roman (août 2016)
Coralie Trinh Thi
Betty Monde, roman
La Voie Humide, autobiographie
Cécile Vargaftig
Fantômette se pacse, roman
Les Nouveaux Nouveaux Mystères de Paris, roman
Stanislas Wails
Deux, roman